COFIO IOAN

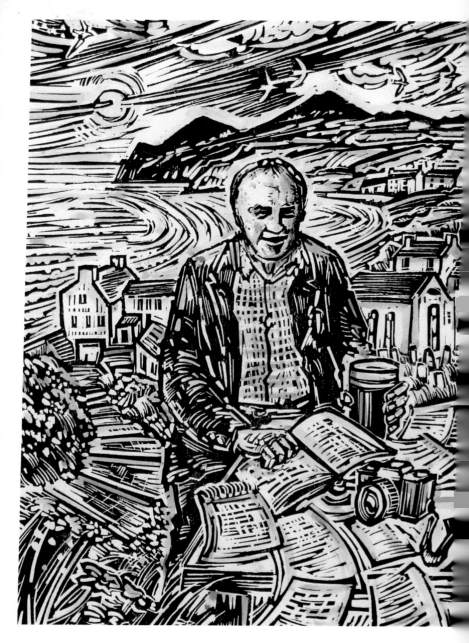

Portread gan Anthony Evans

COFIO IOAN

Golygydd: Alun Jones

Argraffiad cyntaf: 2020

ⓗ yr awduron/Gwasg Carreg Gwalch

Cyhoeddir gan Wasg Carreg Gwalch,
12 Iard yr Orsaf, Llanrwst, Conwy, LL26 0EH.
Ffôn: 01492 642031 Ffacs: 01492 641502
e-bost: llyfrau@carreg-gwalch.cymru
lle ar y we: www.carreg-gwalch.cymru

Bydd breindal y gyfrol hon yn cael ei roi i
gronfa Eisteddfod Genedlaethol Llŷn ac Eifionydd.

Rhif rhyngwladol: 978-1-84527-742-0

CYNGOR LLYFRAU CYMRU

Mae'r cyhoeddwr yn cydnabod cefnogaeth ariannol
Cyngor Llyfrau Cymru

Cynllun clawr: Eleri Owen

Cynnwys

Gair gan y Golygydd   9

Cyflwyniad: Liz Saville Roberts A.S.   12

Teyrngedau

Dad – Lois a Sion   15

Ioan – Alun Ffred Jones   22

Cerddi

Ioan – Myrddin ap Dafydd   30

Io Mo – Gareth Neigwl   32

Er Cof – Annes Glyn   33

Porth Wisgi – Guto Dafydd   34

Arfer – Cerdd i Esther, mam Ioan: Myrddin ap Dafydd   36

Gwerthfawrogiad o'i Gyfrolau

Y dyn deud straeon – Myrddin ap Dafydd   37

Y Cyfnod Cynnar a'r Blaid

Ffrindiau ers Ysgol Ramadeg Botwnnog – Roy Jones 58
Y ffrind triw – Wil Roberts 64
Gweld llais a chlywed llun – Dafydd Wigley 73
Dyddiau hwyliog ym Maes y Llan – Des a Helen 85
Y canfaswr cydwybodol – Gareth Williams 92
Cyfaill, Cymro a Chenedlaetholwr – Dafydd Williams 95
Ffrind yn Baile an Fheirtéaraigh ac yn y Blaid –
    Gwerfyl Jones 99
Dau enaid hoff cytûn – Elin Jones 101

Y Newyddiadurwyr

Petai wedi gwrando arna i ... – William H Owen 105
Chwip o newyddiadurwr! – Eifion Glyn 114
Io Mo a'r eira mawr – Robin Evans 118
Cymro tanbaid â'r gallu i ffrwyno – Arfon Gwilym 122
Y Gwyddel Cymraeg – Dylan Iorwerth 128
Nid un o'r Sefydliad – Tweli Griffiths 132
Fy ngolygydd cynta – Meic Birtwhistle 136

Cyfnod Pontypridd

Un a adawodd ei farc – Menna Thomas 139
Y wardrob! – Anthony Evans 142

Cyfnod *Hel Straeon*

Geiriau oedd cryfder Ioan – Wil Aaron 145
Yr Efengyl yn ôl Ioan – Lyn Ebenezer 150
Y stori sy'n bwysig! – Keith Davies 156

Y Cyfnod Diweddar

Y conductor bysus – John Eric Williams   161
Plas Carmel – Elfed Gruffydd   163
Panad yn Oriel Tonnau – Penri Jones   166
Ioan – Mab y Machlud – Robat Gruffudd   169

Ffrindiau o Iwerddon a'r Alban

A dear friend – Morag   174
A bond that can't be broken – Geraldine Rogerson 183
Having met on the Dingle Peninsula – James O'Byrne 186

Darnau Gwreiddiol o Waith Ioan

Ymuno â'r *Cymro*   189
Atgofion plentyndod Ioan   192
Gwaith ar y bysus   194
Portread: Y Parch. Lewis Valentine   197
Portread: S.O. Merthyr   202
Portread: Hugh MacDiarmid   205
Ymweld â chwarel yr Oakeley   207
Adfer Chorca Dhuibne neu Benrhyn Dingle   209
Pleserau beicio   212

Atodiad

Cyfrolau Ioan   217

Diolch

... yn arbennig i Alwena, Sion a Lois am eu cefnogaeth a'u cydweithrediad, yn ogystal â'u hawgrymiadau gwerthfawr

... i'r holl gyfranwyr a fu mor barod i anfon eu teyrngedau a'u hatgofion mor brydlon a diffwdan

... i Myrddin yn arbennig am ei holl gyfraniadau, yn ogystal â'r myrdd o awgrymiadau a chynghorion gwerthfawr ac am ddylunio'r cyfan

... diolch i Wasg Carreg Gwalch am eu gwaith manwl a gofalus

... diolch am yr holl luniau a gawsom i'w cynnwys yn y gyfrol

Gair gan y Golygydd

Alun Jones

Cafodd cymaint ohonom ein hysgwyd wrth i ni golli Ioan a hynny mor ddisymwth, wrth iddo ddychwelyd o draeth Porthdinllaen yng ngwlad Llŷn. Mae cymaint ers ei golli yn teimlo bwlch mawr ar ei ôl, a'i deulu yn amlwg yn fwy felly na neb. Daeth hi'n amlwg yn ei angladd yn Siloh, Chwilog fod pobl o bob cwr o Gymru yn teimlo yr un fath, yn ogystal â'i ffrindiau o'r Alban ac Iwerddon. Un peth a ddaeth mor amlwg oedd y gallai wneud ffrindiau mor hawdd, oherwydd efallai ei addfwynder fel person, ond yn bwysicach fyth, gallai gynnal y ffrindiau hynny dros flynyddoedd mawr. Mae'r ffaith fod cymaint o'i ffrindiau ef ac Alwena yn pererindota i benrhyn Dingle am rai wythnosau wedi'r Eisteddfod, yn flynyddol, yn brawf o hynny.

Yng ngwesty Nanhoron, wedi'r angladd, amlygwyd y parch iddo fel newyddiadurwr, er mai astudio Peirianneg Sifil a wnaeth yn y coleg. Yn amlwg oherwydd ei braffter, ei allu i fynd at wraidd stori, gan ei mynegi yn syml ac yn eglur, roedd yn un o newyddiadurwyr mwyaf amryddawn a galluog ei gyfnod. Ond nid ar bapur yn unig, nac mewn adroddiadau newyddion roedd ei brif gryfder. Dyn pobol oedd Ioan a dyn casglu storïau am bobol, a'i ffraethineb wrth adrodd yr hanesion hynny a wnâi ei gwmnïaeth mor ddifyr. Roedd gwesty Nanhoron yn llawn storïau a chanolbwynt y cyfan oedd Ioan.

Ioan ac Alun yn trafod . . .

Ar ôl clywed y teyrngedau grymus iddo yn Siloh ac o weld cymaint o newyddiadurwyr a ddaeth i dalu'r deyrnged olaf iddo, roedd yn amlwg bod angen cyfrol i dalu teyrnged iddo fel newyddiadurwr ac fel cymeriad. Er annhegwch eu penderfyniad, fe wnaeth S4C gymwynas â ni yng Nghymru wrth beidio â pharhau'r gyfres *Hel Straeon*, drwy arwain Ioan at gynhyrchu cyfrolau mor amrywiol. Cynhyrchodd bymtheg o gyfrolau gan gynnwys hunangofiannau, llyfrau taith, cyfrolau ffeithiol yn ogystal â chyflwyno cyfrolau ar ffotograffwyr. Hefyd golygodd rhyw ddwsin o gyfrolau eraill a'r ola, *Hen Ysgol Hogia Llŷn*, yn gyfrol oedd yn agos at ei galon. Gymaint yn dlotach y byddem fel Cymry pe na baem wedi cael y cyfrolau hyn. Rhoddir sylw i amryw ohonynt yn y gyfrol hon.

Er mor brysur ydoedd fel newyddiadurwr ac fel awdur, yn ogystal â bod wrthi'n gweithio dros Blaid Cymru, drwy ganfasio a golygu ei llenyddiaeth, eto i gyd gofalai y byddai ganddo ddigon o amser wedi ei neilltuo i gymdeithasu gyda'i ffrindiau. Hel straeon y byddai a hel atgofion a'r rheiny mor niferus, rhai mwy carlamus na'i gilydd, fel y byddai'n bechod eu gweld yn mynd yn angof. Dengys y gyfrol hon mor hanfodol bwysig oedd ei deulu iddo; nhw oedd ei angor.

Ceisiwyd yn y gyfrol i greu darlun mor gynhwysfawr â phosibl o Ioan o'i blentyndod hyd heddiw. Hoffwn ddiolch i'r cyfranwyr am fod mor barod i fynd ati i hel eu hatgofion a'u parodrwydd i ganiatáu i mi docio arnynt, er mwyn osgoi gormod o ailadrodd straeon, er bod peth ailadrodd yn anochel.

Penderfynais gynnwys detholiad byr o erthyglau papur newydd gan Ioan i gloi'r gyfrol, er mwyn dangos ei ddawn i bortreadu yn grefftus ac i drin geiriau mor ddifyr wrth adrodd profiadau, gan hoelio sylw'r darllenydd o'r gair cyntaf.

Cyflwyniad

Liz Saville Roberts A.S.

Gorchwyl trist yw llunio'r ychydig eiriau hyn ar ôl colli gŵr oedd ymhlith un o gymeriadau mawr Cymru. Ond eto i gyd, nid tristwch sy'n dod i'r meddwl wrth gofio am Ioan Roberts. Bydd pawb wrth ddarllen y casgliad hwn o deyrngedau, atgofion ac ysgrifau yn gweld fflach o'r dyn ei hun – ei wreiddioldeb a'i asbri – yn nrych ei waith ac yn nisgrifiadau ei gyfeillion

Rwyf yn ymwybodol iawn bod llawer, llawer o bobl wedi cael y pleser a'r hwyl o adnabod Io Mo yn sgil ei newyddiaduraeth a'i gysylltiadau eang yng Nghymru a thu hwnt. Dyn a fu'n un am hel straeon, gyda'i bleser greddfol wrth ganfod llinyn arian yn hanesion pobl a'u pethau – hanfod pob gohebydd gwerth ei halen. Chwilfrydedd oedd wrth wraidd yr ysfa i hel stori o'i chychwyn annelwig hyd at ei naratif taclus terfynol. Gall stori redeg i sawl cyfeiriad yn ddi-drefn heb ei didoli'n ofalus fel y gwnâi Ioan yn reddfol. Mae'n cymryd meistr wrth ei waith i'w hel yn ddestlus fel cyfanwaith boddhaol, heb fod yr un gair yn brin nac yn ormod.

Dyma ddyn gafodd fodd i fyw'n dehongli'i Gymru ar gyfer cynulleidfa eang a hynny am resymau gwleidyddol, gwaith a fu'n llafur cariad iddo. Er ei fod yn aelod pybyr o

Ioan, Dafydd Wigley a Liz Saville Roberts yn Rali Cymru Rydd yn Ewrop ym Mhwllheli, 2006.

Blaid Cymru ac yn gefnogwr ffyddlon i'r mudiad cenedlaetholgar, roedd cyfraniad Ioan i achos Cymru yn mynd y tu hwnt i blaid unigol. Dyma ddyn a chwaraeodd ei ran wrth ddod â hanesion a delweddau o Gymru ei oes i fodolaeth. Mae pobl yn ffynnu ar adrodd ac ar glywed eu hanesion eu hun, a digon tlawd fyddai arnynt heb fodolaeth y fath straeon. Chwaraeodd Ioan ei ran wrth sicrhau trysorfa o hanesion Cymru am Gymru i Gymry.

Mae 'na ddywediad mewn Gwyddeleg: *'Ní bheidh a leithéid aríst ann'* – 'ni fydd yma ei debyg eto'. Mor wir.

Sion, Sarah, Tomos, Lois a Ioan ym Mhortmeirion.

Sion a Ioan yng Ngerddi Parc Cefn Onn, Caerdydd.

Dad

Teyrnged gan Lois a Sion
Capel Siloh, Chwilog

Fel teulu mae'r holl negeseuon, ymweliadau, teyrngedau, a'r bara brith, wedi helpu i liniaru rhywfaint ar y galar yr ydan ni'n ei deimlo yn y cyfnod hwn o sioc a thristwch. Rydan ni'r to iau wedi cael cyfle dros y dyddiau diwethaf i ddysgu hyd yn oed yn fwy am Dad, a dod i'w adnabod o'r newydd bron, drwy lygaid ei gyfeillion a'i gyd-weithwyr, ac wrth ddarllen eich atgofion chi. Roedd Sion a finnau'n awyddus i gymryd y cyfle hwn i rannu ychydig o straeon efo chi amdano fo, o safbwynt ei blant.

Wel, mae'n amlwg bod Dad yn dipyn o foi, yn doedd?! Wrth gwrs, mi roedd Sion a finnau'n gwybod hynny'n iawn yn barod, ond Dad oedd o i ni, ynde. Wrth edrych yn ôl, rydw i'n gwerthfawrogi bod ganddo fo stôr o amynedd efo ni pan oedden ni'n blant. Roedd o'n arfer dweud wrthym fel y byddai Sion, yn hogyn bach ar eu gwyliau yn yr Alban, yn mynnu fod o a Mam yn stopio'r car bob tro y byddan nhw'n gweld darn o lyn, fel y gallai o fynd allan i daflu cerrig ynddo fo. Dw i'n gwybod bod Dad wedi ildio bob tro ac mi fyddai'n pasio'r amser drwy ffilmio Sion yn taflu cerrig ar ei gamera fidio ac mae'r fidios hyn gynnon ni o hyd. Mi fydda fo'n gwneud lot o hynny – ein dilyn ni efo'i gamera, gan wneud hynny mewn ffordd hollol dawel heb dynnu unrhyw sylw ato fo'i hun. Mor falch bod y fidios bach gwerthfawr yma gynnon ni i'w trysori am byth – diolch am hynny, Dad!

Nid taflu cerrig oedd yn mynd â fy mryd i pan oeddwn i'n iau chwaith, ond mynd i Bortmeirion. Gwell i fi egluro, er mae'n siŵr y bydd llawer ohonoch yn ymwybodol o hyn yn barod, ond mi fysa gan Mam gyfnodau o'r flwyddyn lle bysa ganddi ryw steddfod neu bwyllgor mwy neu lai bob penwythnos, felly Dad fyddai yn ein hentyrteinio ni ar adegau felly. Mi aeth o â fi i Bortmeirion unwaith, a dyna ni wedyn. Roeddwn i'n mynnu ein bod ni'n mynd yno *bob* penwythnos, nes bod ei gerdyn teyrngarwch wedi mynd yn hen racsyn blêr, ac mi fysa fo'n gadael i fi chwarae am oriau wrth y cwch bach ar lan y dŵr yn fy myd bach fy hun. Mae'n siŵr ei fod o'n hollol, hollol bôrd, ond wnaeth o erioed wneud i ni deimlo nad oedd unrhyw beth yn bwysicach iddo fo, na Sion a finna pan oeddan ni efo fo. Doedd dim pall ar amynedd Dad wedi i ni dyfu yn oedolion chwaith, roedd o wastad yno i wrando ac i helpu efo unrhyw broblem, bach neu fawr, gan dueddu i orffen pob sgwrs efo 'fyddi di'n ocê sdi' a rhoi tap solad ar ein pen.

Dim ond mis yn ôl, roedd rhaid i Sion ac yntau fynd i'r ardd drws nesaf i ddismantlo trampolîn Cadi, gan ei fod o wedi hedfan yno dros y gwrych, dros nos pan oedd hi'n stormus. Tra gwnaeth Sion wylltio a bytheirio wrth ymgymryd â'r dasg (mi'r oedd o'n horwth o beth, i fod yn deg, ac mi'r oedd hi'n dywyll erbyn hyn), aros yn cŵl braf wnaeth Dad, gan chwerthin iddo fo'i hun bob hyn a hyn. Gallai weld yr ochr ddoniol i bob argyfwng ac mae hynny'n crynhoi Dad i'r dim.

Roedd o'n dad direidus iawn. Mi ddywedodd o wrth Sion unwaith ei fod o'n arfer chwarae i Arsenal a Sion druan yn mynd i'r ysgol y diwrnod wedyn a dweud wrth

Lois a Ioan yn Llanfihangel Bachellaeth

Yn seremoni graddio Lois

Tu allan y Black Boy, Caernarfon

Cadi Shan a Ioan, gartref yn Llwynhudol

bawb. Mae Sion yn cyfaddef ei hun wedyn, o weld Dad yn cicio pêl, y dylsai fod wedi sylweddoli nad oedd unrhyw wirionedd yn y stori. Dw i'n cofio fi yn yr ysgol gynradd hefyd, yn dechrau dysgu am siapiau ac onglau, a gofyn iddo fo 'be di polygon?' ac yn syth bin, yr ateb gesh i: 'parot wedi marw'.

Roedd Dad yn Gymro i'r carn, ac roedd hynny ar ei amlycaf, mae'n siŵr, yn ystod gêmau Cymru. Sion ddywedodd y byddai gan Dad wastad ddagrau yn ei lygaid pan fyddai'r anthem yn cael ei chanu, a phan fysa'r ddau ohonyn nhw'n mynd i wylio gêm bêl-droed Cymru, yn hytrach na gweiddi 'Wales! Wales!' fel pawb arall yn y dorf, mi fysa fo'n gweiddi 'Cymru! Cymru!' gan geisio'n galed i weiddi'n uwch na'r gweddill. Doeddwn i ddim yn gwybod dim am hynny tan i Sion ddeud wrtha i'r diwrnod o'r blaen ac mi ges i bwl o chwerthin gan 'mod innau'n gwneud yn union 'run fath.

Fedra i ddim diolch digon iddo fo am ein dysgu am bwysigrwydd gwleidyddiaeth. Mi fydda i'n colli ein sgyrsiau hir am y newyddion, dyfodol Cymru, y Blaid ... yn aml mi fyddai'r sgyrsiau hyn yn para oriau, ymhell wedi canol nos, weithiau. Ar noson Etholiad Cyffredinol 2017 mi arhosodd Dad a fi i fyny drwy'r nos ac mi'r oedd y ddau ohonan ni jysd â mynd yn wirion pan enillodd Ben Ceredigion – dw i'n meddwl mai 'hysterical' ydi'r gair mwya addas i ddisgrifio sut roeddan ni'n teimlo ac yn bihafio. Dw i'n falch iawn, mewn ffordd, na fydd yn rhaid iddo fo fynd drwy'r artaith o weld effaith Brexit ar y Gymru fach roedd o mor falch ohoni.

Wel, does dim posib i ni sôn am Dad heb sôn am ein gwyliau chwedlonol bob mis Awst efo'r garafán. Mynd i'r Eisteddfod gynta, wrth gwrs ac wedyn draw â ni i Iwerddon. Roedd o'n arfer deud ei fod o'n teimlo'n euog am beidio mynd â ni i lefydd mwy exotic bob haf, yn enwedig pan ddysgodd o fod Tomos yn arfer cael mynd i lefydd fel Ffrainc, Sbaen, Portiwgal, Yr Almaen, Yr Eidal ac ati ar wyliau teuluol! Ar bapur, mae'n siŵr nad ydi gwyliau carafán, mewn cae ar benrhyn hollol agored i'r gwyntoedd yn ne-orllewin Iwerddon, heb unrhyw fath o gyfleusterau, yn swnio fel y gwyliau delfrydol. Ond i ni, dyna'r oedd o. Be gewch chi'n well na threulio pythefnos yng nghwmni ffrindiau arbennig y gwnaeth o a Mam flynyddoedd cyn i ni gael ein geni, mewn adlen gysurus, mewn cae oedd yn nefoedd pan fyddai hi'n braf ... ond y lle mwya diawledig pan fysa'r tywydd yn troi. Roedd y gwyliau a'r ffrindiau hyn yn rhodd amhrisiadwy i ni gan ein rhieni ac yn gymaint rhan o bwy ydan ni erbyn hyn. Mae o wedi dysgu lot i ni am y gallu i gymdeithasu gyda phobl o bob oed a sut i fwynhau ein hunain. Diolch eto, Dad, a llaw ar fy nghalon, fyswn i byth yn newid y profiadau gawson ni am wyliau ar y Costa del Sol.

O'n i'n sôn gynna am y ffaith mai'r Eisteddfod fydda'n dod gynta, cyn Werddon, eto yn y garafán, a byddai hynny fatha ryw *pre-med* cyn y gwyliau mawr Gwyddelig! Ond i Sion a fi, roedd 'Steddfod efo Dad yn dipyn o boen yn y tin. Mae pawb yn tueddu i feddwl am Mam fel yr un Eisteddfodol, yn dydyn, ond efo Dad, fysan ni'm yn cael gweld chwarter y Maes tasa ni'n gadael iddo fo siarad efo pawb fel roedd o isio gneud! I ddiddanu ein hunain, byddai'n rhaid i ni ddyfeisio gêmau, fel 'sawl cam mae Dad yn gallu cymryd cyn gweld rywun arall mae o'n nabod a sdopio' – y record? Dau gam!

Fyddan ni hefyd yn lladd ein hunain yn chwerthin wrth glywed pawb yn galw Dad yn 'Io Mo', a methu'n glir â deall pam. Oedd ganddo fo enw canol? Morris? Morgan? Mohammed? Fel mae'n digwydd, nag oedd, roedd o jysd yn swnio'n catchy. Dydw i ddim yn meddwl erbyn hyn fod Dad yn meindio i bobl ei alw fo'n Io Mo, ond pan o'n i'n iau, o'n i'n meddwl ei fod o'n ei gasáu o. Rŵan dw i'n deall mai ddim yn licio i Sion a fi ei alw fo'n hynny oedd o! Pan o'n i'n arfer gweld rhywun o'n i'n gwybod oedd yn arfer gweithio efo Dad (ac mae 'na lot fawr ohonoch chi!), fyswn i'n mynd atyn nhw gan ddeud reit swil,

'Dw i' meddwl ella 'ych bod chi'n nabod Dad ...'

'O, pwy 'di dy dad felly?'

'Ioan Roberts ...'

Yn amlach na pheidio, fyddai 'na fawr ddim ymateb am eiliad neu ddwy, ac wedyn yn sydyn, 'Oooo! Io Mo ti'n feddwl?'

Mae'n amhosib cyfleu mor fawr fydd y golled ar ei ôl, ond un cysur pwysig ydi ei fod o wedi cael dod yn daid i Cadi Shân fach. Roedd o'n ymfalchïo yn ei rôl newydd, ac yn ei chymryd o ddifrif. 'Nes i erioed feddwl y bysan ni'n ei weld o'n codi, ar ôl cyn lleied o berswâd, i fynd i ddawnsio efo hi ar ganol y stafell fyw, ac mor hapus i gael ei orfodi ganddi i wisgo ei het binc hi ar ei ben. Pan fysa Cadi'n cael pylia o wrthod bwyta wrth y bwrdd bwyd, a phawb yn gwneud eu gorau i gadw gwyneb syth, pwy ydach chi'n meddwl oedd y cynta, yn ddi-ffael, i ddechrau chwerthin? Wel Dad siŵr iawn, a ninnau wedyn yn ei cholli hi'n lân hefyd!

Mae'n deud lot am natur ein magwraeth a'n perthynas efo'n rhieni fod Dad, Mam, Sion, Sarah a Cadi oll yn cyd-fyw mor ddi-lol dan yr un to dros y blynyddoedd diwethaf – ddim yn rhywbeth hawdd i unrhyw deulu, dw i'n siŵr y bysach chi'n cytuno. Gan gofio y bydda innau hefyd yn mynd adref yn ddeddfol ddwywaith yr wythnos i'w gweld nhw ers i fi symud i Gaernarfon. Mae hyn yn deyrnged wirioneddol i'r berthynas glòs a ffurfiwyd rhyngom, ac mae cael dweud mai Io Mo oedd ein tad yn fraint y byddwn ni'n ei chario efo ni gyda balchder am weddill ein hoes.

Ioan

Detholiad o deyrnged Alun Ffred
Capel Siloh, Chwilog

Deulu, gyfeillion. Mae'r dyrfa luosog yma heddiw yn Chwilog yn tystio i'r parch oedd gynnon ni at Ioan ac i anwyldeb a direidi ei gymeriad.

Dw i'n siŵr eich bod, fel teulu, yn teimlo'r cydymdeimlad yn lapio amdanoch yn eich colled a'ch hiraeth. Diolch am y fraint o gael dweud gair, er y chwithdod. Dw i wedi fy siarsio gan Alwena i beidio bod yn rhy faith ac i beidio bod yn ddi-chwaeth. Felly, bydd rhaid cadw rhai straeon tan rywdro eto.

Ie, Ioan Roberts, Ioan, Io Mo. Drannoeth clywed y newyddion trist mi es i weld Dora, gweddw Wil Sam. Ar y bwrdd o'i blaen roedd ei gyfrol ddiweddara am Geoff Charles wedi ei chyflwyno gan Ioan iddi hi. Hithau'n deud fel y byddai'n galw i'w gweld 'ar ddydd Sadwrn fel arfer.' A mi ddeuda i 'pam' wrthach chi,' meddai hi, 'Am 'mod i 'di deud wrtho fo rywdro, ar ôl colli Wil, mai ar ddyddiau Sadwrn y byddwn i'n teimlo hirath fwya.' Mi roedd 'na rywbeth triw a chefnogol fel 'na yn Ioan.

Mewn rhyw ffordd roedd tebygrwydd rhwng Wil a Ioan – y ddau yn seiri geiriau di-ail yn eu ffyrdd gwahanol, y ddau yn hoff o adrodd stori, y ddau yn fythol wyrdd, heb golli'r 'hogyn' o'u mewn yn llwyr. Yn 1989 mi gafodd Ioan wahoddiad i ddod i gynhyrchu cyfres *Hel Straeon*, cyfres

22

Mwynhau yn yr Hen Lyfrgell yng Nghaerdydd.

roedd Wil Aaron wedi rhoi cychwyn iddi fel rhan o'i ymerodraeth yn Ffilmiau'r Nant. Ac mae'r teitl *Hel Straeon* yn digwydd cyfleu llawer am fywyd Ioan, o ran ei fywyd proffesiynol – ar ôl un 'false start' – casglu ac adrodd hanesion wnaeth o drwy ei yrfa, fel newyddiadurwr, golygydd rhaglenni ac yn ei gyfrolau campus, a hynny mewn Cymraeg eglur, heb ffrils.

Yn gymdeithasol, fel y gwyddoch yn dda, roedd o yn ei elfen yn adrodd straeon am droeon trwstan yr yrfa. Cof aruthrol am fanylion a dywediadau, hyd yn oed yn oriau mân y bore pan oedd pawb call yn eu gw'lau yn cysgu. Pengroeslon, Rhoshirwaun oedd dechrau'r daith iddo fo a'i chwaer Katie ac er iddo adael Llŷn i fynd i goleg a chael gwaith, mynd â Llŷn efo fo wnaeth o, yn ei iaith, ei oslef a'i natur addfwyn. Ac er mor falch oedd o, o gael dod yn ôl a chyfrannu at fywyd y fro – ac roedd cynllun Plas Carmel, er enghraifft, yn agos at ei galon, menter a fydd yn elwa o'ch cyfraniadau hael heddiw – doedd dim yn blwyfol ynddo. Gweledigaeth genedlaethol oedd i'w wleidyddiaeth a rhyng-genedlaethol fel y tystia'i ymwneud cyson ag Iwerddon a'r Alban.

Taniwyd y diddordeb yn Iwerddon yn gynnar a bu Ioan a chriw o ffrindiau yn ymweld yn gyson â Dulyn a'r Gorllewin. Byddai'n adrodd stori – un ymhlith dwsinau – amdano fo a William Roberts, Wil Coed, wedi heirio car i deithio i Orllewin Iwerddon. Pe bydden nhw'n teithio mwy na hyn a hyn o filltiroedd byddai taliad pellach yn ddyledus. Ar Benrhyn Dingle roedd y pwrs yn gwagio a'r milltiroedd yn cynyddu, a dyma benderfynu trio twyllo'r huriwr trwy dreulio'r pnawn yn bagio'r car o gwmpas y Penrhyn er mwyn dadwneud milltiroedd y cloc. Aflwyddiannus fu'r ystryw mae'n debyg, ond parodd y diléit yn Iwerddon, yn ei phobl ac yn ei gwleidyddiaeth.

Ta waeth, wedi mynychu Ysgolion Llidiardau a Botwnnog mae manylion ei addysg uwch ychydig yn niwlog. Ond aeth i Fanceinion i astudio Peirianneg Sifil a chyfarfod yn ystod yr wythnos gyntaf y corwynt hwnnw a adwaenir fel Dafydd Wigley, gan ddechrau cyfeillgarwch a barodd oes. Cyn bo hir aeth y ddau i rannu fflat, trefniant anffodus o ran gwaith academaidd, mae'n debyg. Yn ôl Dafydd treuliwyd gormod o amser yn adrodd barddoniaeth, Dafydd yn darllen Yeats ac yntau yn adrodd Williams Parry i Dafydd. P'run bynnag, gadawodd Wigley y coleg efo gradd – a gadawodd Ioan.

Beth bynnag am hynny cafodd Ioan swydd yn Sir Drefaldwyn yn gofalu am bontydd a ffyrdd y sir honno a dod i nabod gwerin y fro y daeth mor hoff ohoni. Rhannu tŷ gyda chriw o wŷr ifanc syber a sobor! Yn ddiweddarach cafodd ddyrchafiad o fath i gadw golwg ar garthffosiaeth Swydd Amwythig. O'r ddau gyfrifoldeb roedd o'n teimlo bod mwy o urddas yn y cyntaf.

Rywdro yn y cyfnod yma y daeth haid o fyfyrwyr

cenedlaetholgar o'r Alban i Gaerdydd i gêm rygbi a chyfarfod Ioan a'i ffrindiau ac er i Ioan drio dychwelyd ar fŷs yr Albanwyr a chael ei rwystro (gellwch ddychmygu'r helynt) dechreuodd cyfeillgarwch a mynd a dod cyson wrth i Ioan, ac Alwena yn ddiweddarach, wneud llu o gyfeillion yn yr Alban gan gynnwys Morag sydd yma heddiw. Ffrindiau sydd erbyn hyn yn rhan o deulu ehangach y Robertsiaid.

Wrth gwrs y peth pwysicaf ddigwyddodd i Ioan ym Maldwyn oedd cyfarfod lodes ifanc o'r enw Alwena wrth ganfasio dros Tedi Millward mewn etholiad cyffredinol – sy'n profi gwerth canfasio dros y Blaid, 'wrach. 'Mhen amser, lluniwyd deuawd lwyddiannus, un â llais fel angel a'r llall heb lais o gwbl!

Roedd o wedi dechrau cyfansoddi ambell erthygl i'r *Cymro* ar bentrefi cefn gwlad Maldwyn a phan ddaeth cyfle ymgeisiodd Ioan am swydd a dod yn aelod o staff y papur wythnosol. A dyna ddechrau gyrfa a dechrau dysgu crefft. Yn yr hen ddull, roedden nhw'n cael eu hyfforddi sut i ysgrifennu stori yn gofiadwy, yn syml a dealladwy, a fo yn y diwedd oedd y prif ohebydd ac yn penderfynu pa stori fyddai ar y dudalen flaen. Fel y dwedodd Robin Evans, a fu'n cydweithio efo fo ar dri chyfnod gwahanol, y deunydd, y cynnwys oedd yn bwysig i Ioan; gwasanaethu'r stori oedd yr arddull. 'Sylwedd yn hytrach na steil.'

Wedi symud i Benycae, Wrecsam yn sgil gyrfa Alwena, daeth Ioan i adnabod cymdeithas wahanol, un ddiwydiannol ac ôl-ddiwydiannol ynghyd â chriw o Gymry Cymraeg newydd. Wedi tair blynedd yno daeth galwad o HTV yng Nghaerdydd gan neb llai na Gwilym Owen, pennaeth newyddion, oedd yn awyddus i Ioan ddod yn olygydd rhaglen newyddion fywiog *Y Dydd*. Symud, nid i Gaerdydd ond i Bontypridd, mwy gwerinol, a gwneud cylch o ffrindiau newydd, yn Genedlaetholwyr a Sosialwyr

Cymraeg a di-Gymraeg ac o leiaf un Comiwnydd. Does dim sôn iddo ddod yn llawia cfo unrhyw Dori chwaith.

Roedd dwy raglen newyddion gan HTV – *Report Wales* a *Y Dydd*. Ond roedd Ioan a golygydd *Report Wales*, yr anfarwol egsentric Stuart Leyshon o Sgeti, yn cyd-dynnu'n dda ac enillodd Ioan barch yr hacs gyda'i broffesiynoldeb a'i hynawsedd.

Wrth gwrs doedd Ioan ddim yr hyn y byddech chi'n ei alw yn *'company man'* a doedd y berthynas rhyngddo fo a'r uwch reolwyr ddim bob amser yn esmwyth. Cofio fo'n cael ei alw ger eu bron i gael ram dam yn dilyn digwyddiad bach anffodus yn Nulyn mewn gêm rygbi; yn y cyfarfod cafodd ei siarsio ei fod o bob amser, ble bynnag yr âi, yn llysgennad i HTV. Weithiodd honna ddim! Yn rhyfeddol ddigon, er ei brysurdeb, bu'n golygu papurau'r Blaid, Y *Welsh Nation* a'r *Ddraig Goch*, yn y cyfnod yma gan losgi'r gannwyll yn hwyr i'r nos. A phan ddaeth bygythiad Gwynfor i ymprydio dros Sianel Gymraeg dw i'n cofio Ioan yn holi be oeddem ni am wneud fel newyddiadurwyr pe digwyddai'r gwaethaf? Doedd o'n cael dim trafferth bod yn ddiduedd fel golygydd er ei fod yn Gymro a chenedlaetholwr yn gyntaf.

Yn eironig, daeth creu S4C â *Y Dydd* i ben a chollodd Ioan ei swydd. Cafodd ei siomi a bu'n gyfnod anodd dros ben iddo fo ac Alwena. Daeth gwaredigaeth o du Gwilym Owen, a oedd wedi cael cyfnod tymhestlog ei hun cyn dod yn bennaeth newyddion Radio Cymru, a chyflogi Ioan fel golygydd a chynhyrchydd. Roedd gan Ioan, fel nifer o newyddiadurwyr eraill, y parch mwya i Gwilym, fel pennaeth newyddion.

Roedd gwyliau yn Iwerddon gyda'r teulu yn ddihangfa bwysig iddo fo. Conemarra, County Clare ac yn amlach na pheidio Penrhyn Dingle a phentref bach Baile an Fheirtéaraigh yn y Gaeltacht oedd diwedd y daith. Yno y gwnaethpwyd ffrindiau newydd, ac yn arbennig James a

Treasa, Geri a'r diweddar Scott a'u teuluoedd. Nhwythe bellach yn rhan allweddol o'r teulu ac yma heddiw. Hudwyd Albanwyr a Chymry yno i'w canlyn i hel straeon, creu cerddoriaeth a chanu ac yfed ambell wydraid o win y gwan yn nhafarn Ui Chathain a Dick Mack's. A geiriau Ioan bob amser, beth bynnag yr amgylchiad, oedd 'Mae'n ddifyr 'ma!'

Y Meca, fel y disgrifiodd Myrddin o yn ei gywydd, oedd darn o dir ger Trá an Fhíona, Traeth y Gwin â golygfa o benrhyn y Tair Chwaer o'ch blaen. Tir garw, brwynog ydi'r maes, y tap dŵr agosaf ryw hanner milltir i ffwrdd, toiled a siop rhyw filltir go lew a stormydd Awst yn chwipio yn ddi-ffael o'r Iwerydd. Lle delfrydol i wersylla! Ond i Ioan, a llawer o rai eraill, roedd ac mae rhin arbennig yn y lle.

Un o'r bobol y daeth Ioan i'w adnabod yno oedd Bertie Ahern a oedd ar y pryd yn Ganghellor y Trysorlys yn llywodraeth y wlad. Gwelodd Ioan Bertie yn mynd â'i gi am dro ger y traeth ryw fore glawog. Ganol y bore prynodd gopi o'r *Irish Times* a gweld bod yr arian Gwyddelig mewn helbul; 'Punt in Crisis' oedd y pennawd brawychus. Yn hwyrach yn y dydd, gan ei bod yn glawio mae'n debyg, galwodd Ioan yn nhafarn Ui Chathain a rhyfeddu bod y dywededig Bertie Ahern yno yn mwynhau peint. Cafodd ei gyflwyno iddo ac o ddiffyg dim byd arall i'w ddweud, cyfeiriodd at y pennawd brawychus gan ryfeddu bod y gwleidydd heb ruthro nôl am Ddulyn. Ateb sych Bertie oedd, 'I never read the papers on holiday.' Flynyddoedd yn ddiweddarach fe drefnodd Ioan i Dafydd Wigley gyfarfod Ahern yn y Dáil pan oedd yn Taoiseach Iwerddon a bûm i ac eraill yn dyst i ddau wleidydd praff yn mwynhau trafodaeth fywiog.

Daeth cyfnod Pontypridd i ben gyda galwad Wil Aaron. Roedd yn dipyn o rwyg a menter i'r teulu symud o Bontypridd, lle roedden nhw wedi bwrw gwreiddiau dwfn ac yn dechrau magu teulu. Ond dod wnaethon nhw, a dan arweiniad medrus Ioan a'i gyfaill Wil Owen, datblygodd y gyfres *Hel Straeon* yn un o rai mwya poblogaidd y sianel.

Cyfrannodd hefyd sgriptiau a syniadau i'r gyfres *Almanac*. Bu cyfnod *Hel Straeon* yn un prysur a chynhyrchiol; teithiwyd i America i olrhain hanes y cymunedau Cymraeg a bu cyfresi yn Iwerddon ac yn yr Alban. Tynnwyd y plwg yn anfaddeuol o gynnar ar y gyfres yn un o'r ad-drefniadau mae pob sefydliad yn ei ystyried yn gwbl hanfodol! Unwaith eto, roedd Ioan yn ddigyflog ac yn flin.

Gyda llaw, er tegwch, cystal cyfaddef bod Ioan yn medru bod yn flin ac yn bigog ar adegau. Pan fyddai Alwena yn y cwmni clywid y gorchymyn, 'By' 'istaw Ioan.' Ta waeth, cafodd waith ar gyfres materion cyfoes *Y Byd ar Bedwar* ond roedd yn haeddu gwell.

Un o bleserau'r blynyddoedd diweddar iddo oedd teithiau Robat Gruffudd a Meibion y Machlud -– rhyw fath o *Last of the Summer Wine* rhyngwladol – lle mwynhawyd cwmnïa a Jaz gorfodol yn ninasoedd Budapest, Donostia, Madrid, Lisbon a Berlin.

Ond, esgorodd hyn, maes o law, ar gyfnod cynhyrchiol iawn o ran cyhoeddi llyfrau. Roedd o eisoes wedi ysgrifennu cyfrol goffa Elfed Lewis, *Cawr ar Goesau Byr* a'r gyfrol *Achos y Bomiau Bach*. Roedd o hefyd wedi golygu dwy o gyfrolau hunangofiant ei gyfaill Dafydd Wigley sy'n talu teyrnged i'w farn wleidyddol dreiddgar. I Garreg Gwalch sgrifennodd *Hanes C'mon Midffild* a *Pobol Drws Nesa – taith fusneslyd drwy Iwerddon* – yn ogystal â *Rhyfel Ni* am brofiadau milwyr o Gymru a Phatagonia yn Rhyfel y Malvinas.

Dyma ddywed Myrddin, 'Pan fyddai'n sgwrsio efo pobl am brofiadau poenus a phersonol iawn, roedden nhw'n medru ymddiried yn Ioan i gyfleu eu straeon yn gywir a chyda gofal a chydymdeimlad.' Ac yn ôl Dylan Iorwerth 'Roedd yn newyddiadurwr craff ac yn sgwennwr da ... Y tu ôl i'r wên a'r tynnu coes roedd ganddo feddwl praff.' I'r Lolfa golygodd bedair cyfrol hynod o waith ei hen gyd-weithiwr, y ffotograffydd Geoff Charles, gan dreulio wythnosau yn tyrchu yn archif y Llyfrgell Genedlaethol. Dim ond gair da oedd ganddo i staff y lle. Ac yn goron ar y cyfan roedd cyfrol hardd ar fywyd a gwaith y ffotograffydd o Ruddlan ac Efrog Newydd, Philip Jones Griffiths.

'Gweithiwr araf oedd o,' meddai Alwena, 'ond un gofalus a thrylwyr.' Ac mi alla inne dystio i'r un gofal pan fu'n gweithio fel swyddog y wasg efo mi. Doedd o byth yn gollwng dim o'i law heb ei saernïo. Ac mae cyfrol y bu'n ymlafnio gyda hi am ddegawd ar y 'Cylch Catholig' ar fin dod o'r wasg, mae'n debyg. Roedd o mewn cymaint o wewyr am hon fel yr ymneilltuodd i leiandy i gael heddwch ac ysbrydoliaeth i sgwennu. Fe barodd un noson boenus o oer a distaw mewn cell cyn dianc am ei fywyd yn ôl i Bwllheli.

Mae rhagor i'w ddweud, llawer yn rhagor, ond mi fedra i deimlo ei bensel goch yn hofran uwch y sgript. Mae pob gwahanu yn boenus wrth gwrs ond fel adroddwr chwedlau siawns na fyddai'n gwerthfawrogi bod y lleoliad ym Mhorthdinllaen yn drawiadol, yng nghwmni teulu wedi gwydraid o win yn y Tŷ Coch. Ac felly heddiw yr ydym yn dathlu bywyd Cymro cywir a balch, bywyd llawn, bywyd cynhyrchiol ac afieithus, llawn direidi, dagrau a chwerthin. Mae'n stori gwerth ei hadrodd.

Y CERDDI

Ioan

Myrddin ap Dafydd

O Roshirwaun, drws hiraeth
yw'r tir hud tu draw i'r traeth –
ynys cyfeillion annwyl
yng ngwres eu hanes a'u hwyl,
ynys byw yn rhydd am sbel:
Ioan oedd bron yn Wyddel.

Dyna fu'i haf, dyna'i fyd:
adlen mewn cae tywodlyd;
adlen lawen a chenedl
o gân a cherdd, gwin a chwedl
Clann y Dwnnan; yntau'n dad,
yn gerrynt llawn o gariad.

Adlen heb stormydd pwdlyd
bro a fu'n cilio cyhyd.
Yr un ddadl gaed mewn adlen
ag yn Llŷn, ond gwyn ei llen,
yn gip ar ros o olwg prudd
cociau ŵyn hagrwch cynnydd.

*Dyddiau cynnar fel
gohebydd* Y Cymro

Adlen oedd i deulu. Nef
uwch edrych ar rych hydref,
uwch llaw'r aildorchi llewys,
uwch holl galedwaith a chwys,
nythu gwenith y gwanwyn
ym maes ei gynefin mwyn.

Do, bu'i hiwmor a'i stori –
stôr ei sach– yn iach i ni;
gloywai ei lais gwmni gwlad
efo'i finiog ddyfyniad.
Dawn y co' hwn nid yw'n cau:
co' deud-hi'r anecdotau.

Heno, adlen huodledd –
mae'n awr ei lapio mewn hedd.
Gŵr ffraeth aeth i'w Gatraeth o
ond caf benodau cofio
mor fyw. Wrth y môr a'i fae,
y gorwel biau'r geiriau.

Io Mo

Gareth Neigwl

Ioan gynhesai'r geiriau,
ei emau mawr am ddramâu
oesau pell; ein Aesop oedd
yn arafwch canrifoedd
yn rhoi awch am chwedlau'n rhes,
haul hwn oleuai hanes!

Hogyn oedd yn llun a llais
i huodledd troi'r bleidlais,
nôl yn Llŷn yn hŷn â'i hid,
'run Ioan a'i fro'n newid.
Ein hail wynt, 'doedd hwyliau heb
ei ddau air o ddihareb!

Dod â'i fro, ei byw di-frys
a hiraeth ei Thir Dyrys
efo fo, dyna Ioan,
wyneb ei mab ymhob man.
Un dedwydd o'i mowld ydoedd,
un â naws Rhoshirwaun oedd.

A Llŷn o'i golli'n lleihau,
di-drai y môr storïau;
Lle y'i clywir daw'n gliriach
nad pen draw'r byd yw byd bach
Rhoshirwaun, 'roedd y deunydd
yno 'rioed i'w enaid rhydd.

Gyda Katie Pritchard, ei chwaer

Er Cof

Annes Glyn

I'r llafar, sgrîn yw'r llwyfan i'w stori,
  rhai llawn stŵr yr hunan;
  tewi maent, saif grym print mân –
  un dawel oedd crefft Ioan.

Porth Wisgi

a'r ffordd y mae pethau'n darfod

Guto Dafydd

Niwl
yn drwch ger Porth Tŷ Mawr
ond wedyn roedd hi'n glir, a rhai'n
taeru bod y criw 'di meddwi.

Llong
yn crafu'n stond ar draeth,
y storm yn chwalu'i choed
a'r werin yn sbeilio'i chargo:
platiau'n
harddu dreselydd, yn sgleinio
ar ôl dwstio'r degawdau,
cyn mynd i focs ar ôl yr angladd;

pianos
yn tynnu tamp o waliau bythynnod
er eu hachub o'r môr;
wisgi
wedi'i gronni'n boteli balch,
a'i gadw'n gybyddlyd dan gorcyn
am ganrif, fel petai perchnogi'n
fwy o bleser na blasu.

Straeon
yn codi o'r gwir fel mwg tai unnos,
yn llenwi'r aer, yn hawlio'r tir
cyn pylu'n atgof o atgof, ac yna'n
ddim ond enw.

Ninnau,
yn hel creiriau wnaiff bara'n hwy na'n cnawd,
yn hel chwedlau wnaiff bara'n hwy na'n hesgyrn,
yn hel plantos yn oleuni, yn olyniaeth,
yn hel gorfoledd, fel nad oes ots
fod popeth yn darfod.

Cywydd Myrddin ap Dafydd i Nain Pengroeslon a oedd yn hiraethu am Ioan, ei mab, pan oedd yn y Coleg. Byddai'n gwrando ar ganlyniadau gêmau pêl-droed am ei bod yn gwybod y byddai Ioan hefyd yn gwrando arnynt:

Arfer

'City: One' a 'Rovers: Two' . . .
Nid oes sêl; ni chwyd sylw
o gadair. Tŷ gwag ydio.
'Crawley: Five' a 'Carli'le: Four'.
Miwsig yw sgôrs y meysydd
heno i'r fam – ond mydr a fydd
yn byw'n hir. Daw'r mab yn ôl:
yn ei sŵn, mae'n bresennol.
Daw o'i goleg i'w chegin,
i'w trefn ar Sadyrnau trin
y bêl. Daw drwy'i helbulon:
'Luton: Nil' a 'Bolton: One'.

Yn amlwg erioed wedi chwarae i Arsenal!

Y *dyn deud straeon*

Myrddin ap Dafydd

Newyddiadurwr yn rhannu'i straeon yn hael oedd Ioan. Y noson cyn iddo farw roedd yma ar yr aelwyd ac mi ddwedodd rywbeth fel hyn: 'Tydw i ddim yn mynd i sgwennu fy hunangofiant, ond taswn i'n gwneud, mi fasa'n rhaid imi sôn am sawl coc oen ac esbonio'n llawn beth oedd achos eu cocoendra nhw. Ac mi fasa hynny'n codi tipyn o broblemau o ran cyhoeddi!'

Nid portreadu pobl o'r fath oedd yn ysgogi dawn Ioan. Straeon go iawn am bobl go iawn oedd ei bethau. Un o'i gampweithiau yw ei gyfrol ar y ffotonewyddiadurwr o Ruddlan, Philip Jones Griffiths. Cafodd ei ddisgrifio fel 'ffotograffydd gorau ei oes' – tynnai luniau o bobl gyffredin a gawsai eu dal yng nghanol rhyfeloedd erchyll a digwyddiadau trasig. O Fietnam i Gambodia i Ogledd Iwerddon a chymoedd diwydiannol de Cymru, cofnododd wirioneddau treiddgar, ond dyngarol, yn ei luniau du a gwyn. Wrth baratoi'r gyfrol – y cofiant cyntaf mewn unrhyw iaith i un oedd yn arwr ledled y byd – dewisodd Ioan hanner cant o luniau o'r casgliad o 150,000 o sleidiau lliw a 10,000 o luniau. Mae detholiad trawiadol ond cynnil Ioan yn dweud y cyfan am ei ddawn fel golygydd. Daliodd negeseuon ysgytwol y lluniau yn ei waith, ond hefyd y cynhesrwydd a'r hiwmor rhwng pobl a'i gilydd. Mae'n cynnwys dyfyniad gan y newyddiadurwr, John Pilger am y ffotograffydd:

'Philip Jones Griffiths is the one who showed us Vietnam as a country, not a war, and the Vietnamese as an amazing human community, not human 'extras' that flitted across our Americanised television and cinema screens.'

Teitl pennod olaf y gyfrol yw 'Lluniau go iawn am bobl go iawn' lle mae Ioan yn nodi uchelgais Philip Jones Griffiths. Nid creu celfyddyd oedd ei amcan, ond chwilio am wirioneddau: 'I want to be somebody who takes pictures of real people.'

Mae'r ddau ddyfyniad hwn yn rhai y gellid eu cymhwyso'n hawdd iawn at waith Ioan ei hun. Nid gormodiaith yw dweud na fyddai neb arall yn y byd wedi medru cyflawni'r gamp o gyflwyno holl natur amlochrog cymeriad Philip mor gynnil. Cyflawnodd hynny a gwelwyd ei ddawn i ddethol, dawn i adrodd straeon, dawn i ganfod ffeithiau newydd ac anecdotau allweddol a dawn i ganfod hiwmor dynol drwy'r cyfan. Roedd yn rhaid wrth edmygedd a chydymdeimlad hefyd. Mae'n crynhoi'r holl agweddau proffesiynol ar waith Ioan.

Mae'i gydymdeimlad gydag unigolion a gawsai eu dal dan ormes gwladwriaeth yn amlwg yn ei gyfrol ar achos cynllwynio'r Mudiad Gweriniaethol Sosialaidd Cymreig yn Llys y Goron, Caerdydd yn 1983. Roedd Ioan yn ohebydd i Radio Cymru yn y llys ac mae'n cofio'r diweddglo dramatig:

'Wrth i raglen *Cyn Un* ddechrau, daeth y ddau ddyfarniad cyntaf. Dau yn ddieuog o bob cyhuddiad.

Y gohebydd â llygad dyn camera – yn Berlin

Rhuthro allan i giosg a thorri'r newydd yn ddigon carbwl i'r genedl. Erbyn trannoeth, roedd tri arall yn rhydd ac achos llys drutaf Cymru ar ben wedi naw wythnos a hanner. A'r cyhuddiadau'n tasgu – yn erbyn y plismyn.'

Casglodd Ioan y deunydd yn gyfrol yn ddiweddarach – *Achos y Bomiau Bach*. Roedd yn achos dramatig a hanesyddol gyda rhyw dro annisgwyl yn ddyddiol – a diweddglo syfrdanol. Fel newyddiadurwr a gâi ei gyflogi fesul dydd, roedd yn gontract gwerth ei gael i Ioan. Ond roedd ei gydymdeimlad gyda phobl sy'n dioddef yn pwyso arno hefyd ac mae'n cyfleu hynny yn ei ragair:

> 'Mae 'na rywbeth yn ddi-chwaeth braidd mewn mwynhau'ch hun mewn llys barn, gan fod pob achos yn hunllef i rywun. Roedd yr achos cynllwynio hwn yn ymwneud â bomiau a allai fod wedi lladd, un ddyfais hurt wedi ei gosod ddwy droedfedd oddi wrth ben bachgen 16 oed oedd yn ei wely'n cysgu. Daeth yn amlwg hefyd, ymhell cyn y diwedd, bod y rhan fwyaf o'r diffynyddion yno oherwydd pethau roedden nhw'n eu credu a'u dweud yn hytrach na'u gwneud. Roedd pobl ddieuog wedi treulio misoedd yng ngharchar cyn cyrraedd y llys, teuluoedd wedi dioddef a gyrfaoedd wedi eu chwalu. Pa hawl felly oedd gan rywun fel fi i edrych ymlaen at ddiwrnod gwaith fel pe bai'n drip i'r theatr?'

Eto, mae'i hoffter o stori dda ac o hiwmor yn cael ei osod yn onest ar ochr arall tafol ei gydwybod:

> 'Mi ddechreuais deimlo'n llai euog am y peth ar ôl dod i ddeall nad fi oedd yr unig un i fwynhau'r cyfnod hwnnw yn Hydref 1983. 'Dyna yn sicr naw wythnos a hanner gorau fy mywyd,' meddai un o'r diffynyddion dieuog 18 mlynedd yn ddiweddarach. Roedd Dave Burns wedi treulio naw mis yn y carchar heb fechnïaeth cyn yr achos. Pam felly bod y doc yn lle mor nefolaidd? 'Am fod yr heddlu mor wael reit o'r dechre!'

Crynhodd Ioan yr holl stori i gan tudalen, gan gynnwys

cyfweliadau allweddol a fydd o bwysigrwydd er mwyn deall y ffordd y byddwn fel Cymry yn creu cyfansoddiad ac yn gweinyddu cyfiawnder yn y dyfodol.

Roedd Phil Thomas o Ysgol y Gyfraith yn y Brifysgol yng Nghaerdydd yn ymgyrchu dros hawliau sifil y diffynyddion, ac yn byw yn yr un stryd â theulu'r diffynnydd ieuengaf:

'Pobl ifanc oedd y rhain fyddai wedi mynd i garchar am gyfnodau hir iawn pe bai'r llys wedi eu cael nhw'n euog,' meddai. 'Fe allasai eu bywydau fod wedi cael eu distrywio am byth. A doedden nhw ddim y math o bobl fyddai'n arfer cael eu cyhuddo o bethau difrifol fel cynllwynio a bomio ... Ond fe newidiodd y profiad eu bywydau. Doedd hyd yn oed y rhai gafwyd yn ddieuog ddim yr un bobl ar ddiwedd yr achos ag roedden nhw ar y dechrau.'

Pan gyflwynodd Ioan y syniad i mi, roedden ni mewn adlen mewn Eisteddfod. Dyna un o'i hoff leoedd yn y byd i gyd. Mae 'adlen' wrth gwrs, yn golygu rhywbeth unigryw i ni'r Cymry. Mae'n lle i sgwrsio a thrafod, tynnu coes, chwerthin a diawlio – ond hefyd ysgogi. Sawl cân neu gerdd, cyfrol neu raglen, syniad neu weledigaeth gafwyd mewn adlen Steddfod? Mae gynnon ni ferf 'adlenna' – go brin ei bod i'w chael mewn unrhyw iaith arall yn y byd. Roedd Io Mo fel barcud coch ar y maes carafanau yn chwilio am yr adlen lle'r oedd y chwerthin uchaf a'r difyrrwch mwyaf. A fo fyddai un o'r cyfranwyr pennaf at y miri wrth gwrs. Wrth gyflwyno'r syniad o gasglu deunydd *Achos y Bomiau Bach* imi, adroddodd stori neu ddwy am y digrifwch anfwriadol a ddigwyddodd yng nghanol y rhwysg cyfreithiol. Roedd yn un manwl a chywir wrth ddweud stori. Doedd o byth yn mystyn nac yn ceisio bod yn flodeuog, dim ond ei hadrodd hi fel y tystiodd hi:

'Un bore fe dynnwyd y gweithgareddau i ben yn sydyn. Roedd hynny oherwydd bod grŵp o anarchwyr brwdfrydig o Abertawe, dan arweiniad dyn o'r enw Ian Bone (a fu ar un adeg yn ei alw'i hun yn Ieuan ap Asgwrn), wedi mynd ati i ddosbarthu papur newydd y tu allan i'r llys yn cynnig eu dehongliad gweddol liwgar nhw o'r hyn oedd yn digwydd y tu mewn. Roedd hyn yn amharchu'r rheolau *sub judice* ac fe dynnwyd sylw'r Barnwr at y peth. Gofynnodd Mr Ustus Farquharson i'r bargyfreithwyr godi ar eu traed fel y gallen nhw drafod y mater. *'And what is the name of this publication?'* holodd y Barnwr. Dyma'r prif erlynydd, sydd heddiw'n Arweinydd Tŷ'r Arglwyddi, yn pwyso'n ôl ac yn petruso ychydig cyn ateb yn ddwys a difrifol, 'Fuck Off, *My Lord'*. Chafodd o mo'i geryddu, achos roedd o'n dweud y perffaith wir.'

Dechreuodd Ioan ei yrfa newyddiadurol gyda'r *Cymro* yn 1969. Yn fuan iawn, sylweddolwyd bod ganddo ddawn i ganfod straeon a chael pobl i'w rhannu gydag o. Dyna sail cyfres o bortreadau treiddgar iawn a gyhoeddodd yn yr wythnosolyn. Hanner canrif yn ddiweddarach, mae'r portreadau hynny yn dal yn eu blas ac yn dangos ei nodweddion fel sgwennwr, fel y gellwch dystio wrth ddarllen un neu ddau o'i bortreadau yng nghefn y gyfrol hon.

Yng nghanol yr wythdegau cythryblus, trodd oddi wrth newyddiaduraeth 'galed' at olygu a sgriptio cyfres o raglenni cylchgrawn i S4C, *Hel Straeon*. Pan benodwyd Ioan yn gynhyrchydd, ef hefyd fyddai'n golygu'r ffilm ac yn sgriptio'r trosleisio. Tystia Lyn Ebenezer fod y sgript 'yn berffaith bob tro. Doedd dim angen ychwanegu na thorri gair o ran cynnwys na hyd. Roedd geiriau Ioan yn ffitio'r ffilmio i'r dim'.

Pan ddaeth *Hel Straeon* i ben, trodd Ioan at sgwennu a golygu llyfrau yn bennaf. Rhoddodd ugain mlynedd o gyfraniad ac mae'r ddawn canfod ac adrodd straeon yn amlwg yn ei gyfrolau, a'i hoffter o grwydro i'w weld yn y llyfrgell a adawodd ar ei ôl. Hyd yn oed pan sgwennai bamffledyn taith i wahanol ardaloedd o Lŷn, roedd yn medru cysylltu'r glannau â gorwelion ehangach – a gwyddai'n well na neb pa arwyddocâd oedd i hynny:

'Yn 1974 daeth dau ddeifiwr o hyd i ddarn o angor plwm yn y môr ger Porth Felen, gyferbyn ag Ynys Enlli. Roedd yn wahanol i bob angor a welwyd ym moroedd Prydain cyn hynny, ond roedd 14 o rai tebyg wedi eu darganfod ym Môr y Canoldir dros y blynyddoedd. Trwy astudio addurniadau ar yr angor fe ddangosodd arbenigwyr ei fod yn hŷn na chyfnod y Rhufeiniaid ac yn perthyn i ddiwedd yr ail ganrif neu ddechrau'r ganrif gyntaf Cyn Crist. Dyna dystiolaeth annisgwyl fod rhyw gysylltiad morwrol rhwng Llŷn a gwledydd Môr y Canoldir yn y cyfnod hwnnw'.

Mewn llyfryn arall, mae'n cyflwyno arwyr Oes y Seintiau yn Llŷn:

'Roedd pwerau goruwchnaturiol yn cael eu priodoli iddyn nhw, a doedd eu campau ddim bob amser yn arbennig o Gristnogol. Dywedir i Beuno, y sant a gafodd fwyaf o ddylanwad ar ogledd Cymru, blannu coeden ryfeddol uwch bedd ei dad yn Sir Drefaldwyn – coeden oedd yn lladd pob Sais a gerddai oddi tani ond yn gadael i Gymry fynd heibio'n ddianaf! Pwysleisir ar yr un pryd y byddai'n bwydo a dilladu'r anghenus ac yn ymweld â chleifion a charcharorion. Beuno yw nawddsant eglwysi Clynnog Fawr, Denio (Pwllheli), Pistyll, Carnguwch a Botwnnog.

Un o'r rhaglenni a gyfrannodd Ioan i gyfres *Almanac* ar S4C oedd *Porth Wisgi*:

'Os ewch i Borth Tŷ Mawr, un o'r cilfachau bach i'r gorllewin o Langwnnadl, ar drai mawr fe allwch weld sgerbwd llong haearn yn ymddangos yn y creigiau. Nid y *Stuart*, a ddrylliwyd ar Sul y Pasg 1901, oedd y llong fwyaf i fynd i drallod yn yr ardal, ond ni chollodd neb ei fywyd yn yr anffawd. Natur y cargo a'i gwnaeth yn enwog, ac ar lafar gwlad fe newidiwyd enw'r gilfach lle glaniodd i 'Porth Wisgi'.

Ar ei ffordd o Lerpwl i Newfoundland roedd hi ar dywydd tawel braf, ac er bod sawl esboniad wedi'i gynnig am ei drylliad, yr eglurhad mwyaf credadwy yw bod y capten a'r criw wedi bod yn ysbeilio'u cargo eu hunain. Aeth y bobl leol yn wyllt, er gwaethaf ymdrechion swyddogion tollau a bygythion y Mudiad Dirwest. Mae ychydig o boteli'r *Stuart* yn dal heb eu hagor yng nghartrefi'r ardal o hyd.'

Ceir gwybodaeth ddadlennol ganddo i'r rhai sy'n credu bod yn rhaid teithio ymhell er mwyn cael cynnyrch o safon:

'Os ewch ar wyliau i Sbaen ac archebu cimwch mewn tŷ bwyta, peidiwch â synnu os bydd y saig wedi cychwyn ei siwrnai yno o un o draethau Llŷn. Bob wythnos bydd cimychwyr o bob rhan o'r penrhyn yn cyfarfod lori danc o Gaergybi a fydd yn cadw'r cynnyrch yn fyw yr holl ffordd i'r Cyfandir, lle bydd ymwelwyr o Brydain yn eu mwynhau am brisiau is nag y bydden nhw'n eu talu adref.'

Canfod mwy nag a wêl y llygad yw crefft awdur llyfrau taith ac nid oes gwell enghraifft yn y Gymraeg na *Pobol Drws Nesa – Taith fusneslyd drwy Iwerddon* gan Ioan. Ers 1969, ymwelai â'r ynys sawl gwaith y flwyddyn a chlywn am ei brofiadau bron â bod fesul llathen o'r wlad yn y gyfrol hon. Yn unol â'i reddf, cymysgedd o straeon dwys a doniol a gawn ni ganddo. I'r gorllewin, i benrhyn An Daingean (Dingle) a phentref Gwyddeleg Baile an Fheirtéaraigh (Ballyferriter) yr anelai gyda'i deulu bob haf.

Yn y gyfrol a sgwennodd Ioan am ei brofiadau yn Iwerddon dywed:

'Roeddwn i wedi gweld darn o dir Iwerddon cyn imi erioed weld fawr ddim o Gymru, Lloegr na Llanrwst. Byddai 'Mynyddoedd Werddon' yn dod i'r golwg o'n tŷ ni ym Mhen Llŷn ar ambell ddiwrnod clir, a phawb yn ddigon balch o'u gweld nhw.'

Doedd croesi'r môr hwnnw yn ddim problem i Ioan – roedd morwriaeth yn ei waed:

'Unwaith yn fy mywyd y cefais i brofiad go iawn o salwch môr, a hynny ar long go sylweddol rhwng Galway ac Inis Mor. Roedd Alwena a minnau yng nghwmni ffrindiau o'r Alban, a phawb wedi bod yn ofni'r fordaith heblaw fi, pan ddywedais nad oeddwn erioed wedi bod yn sâl môr a bod teulu fy nhad i gyd yn llongwyr. Hanner ffordd i'r ynys aeth y sardins roeddwn wedi eu bwyta i frecwast yn ôl i'r môr, a chlywn leisiau dirmygus yn gweiddi 'I come from a seafaring family'.

Dro arall aethom i un o'r ynysoedd llai mewn cwch bach o Doolin ar fore braidd yn wyntog. Doeddwn i ddim yn boblogaidd iawn oherwydd imi brynu'r tocynnau heb ymgynghori, a gwaethygodd pethau hanner ffordd draw pan glywsom y gyrrwr yn cael ei hysbysu ar ei radio fod yna 'gale warning' ar gyfer y prynhawn. Wnaethon ni ddim mwynhau'n harhosiad ar yr ynys, ond wrth ddisgwyl am ein cwch yn ôl fe welsom Harri a Lenna Pritchard-Jones a'u plant y tu allan i dafarn gerllaw. Roedd Harri wedi bod yn feddyg ar yr ynysoedd ac yn dal i fynd yno'n achlysurol fel locum yn yr haf. Wrth inni boeni am ein mordaith, cawsom gyngor proffesiynol ganddo am ddim: 'Yfwch beint neu ddau o Guinness ac mi fyddwch yn iawn.'

Ar y cwch dywedais wrth bysgotwr lleol bod fy ngwraig yn bryderus iawn. Roedd ei ateb yn gryn galondid: 'I don't blame her one bit, disasters are ten a penny around these parts!"

Llusgo'u carafán i dwyni tywod yn y penrhyn mwyaf gorllewinol yn Iwerddon a wnâi Ioan ac Alwena a'r teulu bob blwyddyn. Nid y tywydd oedd y prif atyniad fel y gwelwn ni isod:

'Y pethau sy'n mynd o chwith, yn aml sy'n creu'r diddanwch mwyaf wrth edrych yn ôl. Mae un noson stormus pan oeddem wedi bod yn ddigon ffôl i osod ein carafán gyda'r adlen yn wynebu'r môr yn rhan o chwedloniaeth ein teulu ni. Cawsom ein deffro gan wynt aruthr yn rhuthro, y garafán yn siglo, cenllysg yn chwipio'r waliau a'r adlen yn curo'n daer ar y drws. Roeddwn i dan bwysau teuluol i fynd allan i sicrhau fod y pegiau yn eu lle, ond yn dadlau bod mwy o'm hangen y tu mewn, fel balast. Ond wedyn dyma glec wrth i bolion yr adlen godi i'r awyr fel tri mast, a'r canfas yn llenwi fel hwyl. Cafwyd cryn drafferth i agor y drws er mwyn i Alwena, Sion a finnau fynd allan i ganol y drin i geisio cael yr adlen yn ôl i'r ddaear cyn iddi rwygo. Wrth i bawb weiddi gorchmynion ar ei gilydd, a Lois o glydwch ei sach cysgu yn dweud wrth bawb am fynd i'w gwlâu, dyma Sion, yn ei ddoethineb deuddeg oed, yn gweld yr ochr olau. 'O leiaf', meddai, 'rydan ni'n cael tipyn o *quality time* efo'n gilydd fel teulu!'

Dyma'r math o groeso a brofodd mewn gwesty o'r enw'r Granville yn yr ardal honno:

> 'Cerddais ... i le a ddisgrifiwyd yn yr *Irish Times* fel 'the most eccentric hotel in Ireland'. Ar ôl i'r gloch ganu ym mhobman arall y byddai pobl yn cyrraedd y Granville. Roedd y landlord, Billy, yn ddyn urddasol gyda gwallt gwyn, a fedyddiwyd yn Gwynfor Evans gan Sion Pengamdda, a arhosodd yno unwaith ar drip blynyddol papur bro *Y Ffynnon*. Ambell dro byddai Billy a'i wraig Breege yn mynd i'w gwlâu gan adael pawb i helpu eu hunain a gadael yr arian mewn bocs. Dro arall byddai'n sefyll fel sentri wrth y drws: 'Sorry, Ioan, but it's half past two. Two o'clock would be fine, but not half past.'

Ar gyfer sgwennu'i gyfrol, crwydrodd bob cwr o'r ynys gan ddod ar draws straeon newyddiadurol a wnaeth danio'i chwilfrydedd yn ogystal â chyfarfod cymeriadau diddorol. Mae un o'i erthyglau cynharaf yn *Y Cymro* yn trafod y bygythiad i godi atomfa niwclear ar dir Cwmistir Isaf yn Edern, Llŷn. Yng ngogledd-orllewin Mayo daeth ar draws stori debyg i un Dafydd a Goleiath lle'r oedd ymgyrchwyr lleol yn gwrthwynebu bwriad Shell i bibellu olew o dancars anferth i'r lan:

'Doedd Bertie Ahern ddim yn un o hoff wleidyddion yr ymgyrchwyr. Roedd yr Eglwys Gatholig hefyd o dan y lach. Gyda rhai eithriadau, gan gynnwys yr offeiriad lleol – 'yr unig un â chanddo ddewrder' – roedd offeiriaid ac esgobion wedi gwneud eu gorau glas i gael pobl i gowtowio i Shell. 'Aeth yr esgob i dŷ Willie Corduff i geisio'i berswadio i newid ei feddwl. Mae gan Willie ddau darw. Roedd mab Willie'n dweud wedyn y dylai ei dad fod wedi eu gollwng nhw'n rhydd!'

Ond y gelynion pennaf yn ei olwg oedd llywodraeth Iwerddon. Roedd yr heddlu, y llysoedd a holl beirianwaith y wladwriaeth yn gweithredu dros y cwmnïau olew.

'Mae'n gwleidyddion ni ar werth. Mae ganddon ni ddiwylliant Zimbabwe ar ein dwylo.'

Trefnodd i gyfarfod ag un o'r protestwyr, Micheal O Seighin, a dreuliodd 94 diwrnod mewn carchar am ei ran yn yr ymgyrch – un o'r 'Rossport Five' fel y caent eu hadnabod yn Iwerddon.

'Mae'n debyg mai oherwydd y Birmingham Six a'r Guildford Four – dau grŵp a garcharwyd ar gam am fomiau'r IRA – y bu Iwerddon mor barod i gydio yn y label Rossport Five. Ond i mi roedd ganddyn nhw fwy'n gyffredin efo Triawd Penyberth: dynion oedd wedi mynd i garchar dros egwyddor gan gredu mai'r gyfraith ac nid nhw oedd ar fai. Roeddwn wedi meddwl hynny cyn gweld yr un o'r pump, ond pan gerddodd Micheal O Seighin i'r tŷ yn ei ddillad saer coed, cefais dipyn o sioc. Yn fyr a chydnerth, parod ei hiwmor a phrin ei wallt, fe'm hatgoffodd yn syth o athro arall, D. J. Williams. Roedd hefyd yr un mor gryf ei ddaliadau, yn gwbl ddiedifar am ei dorcyfraith. Dywedodd wrthyf ei fod wedi gwerthfawrogi, beth bynnag am fwynhau, ei gyfnod yng ngharchar, oherwydd ei ddiddordeb mewn pobl; yn hynny hefyd roedd yn debyg i D.J.'

Yn ogystal â sylwebu ac adrodd straeon o'r byd gwleidyddol, roedd gan Ioan ddiddordeb brwd mewn ymgyrchu'n wleidyddol ei hun. Bu'n olygydd ar y *Ddraig Goch* a'r *Welsh Nation*, cyfnodolion Plaid Cymru a bu'n aelod o sawl tîm canfasio etholiadol ar hyd y degawdau. Cynorthwyodd Dafydd Wigley i gwblhau cyfrolau ei hunangofiant a sgwennodd hanes sefydlu Plaid Genedlaethol Cymru ym Mhwllheli, 5 Awst 1925. Mae'n nodweddiadol ohono ei fod yn gosod cefndir sefydlu'r blaid a ddaeth 'yn rym trwy Gymru gyfan' ar ôl etholiadau 1999 mewn cyd-destun Ewropeaidd. Mae'r un mor nodweddiadol ei fod wedi taro ar un neu ddwy o straeon digon doniol am yr Eisteddfod Genedlaethol oedd yn ymweld â Phwllheli yr wythnos honno:

'Yn Llŷn ac Eifionydd, wrth i Awst agosáu, y paratoi ar gyfer Eisteddfod Genedlaethol Pwllheli oedd y prif destun sgwrs. Un broblem oedd prinder llety, gyda bardd o Feddgelert yn proffwydo:
    'Os caniatâ'r meddygon
    Rhaid cysgu bob yn dri.'
    Roedd dadl yn y Cyngor Tref ynglŷn â chais gan gwmni syrcas i rentu tir yn ystod yr un wythnos. 'Peth annymunol iawn,' yn ôl cynghorydd a ddyfynnwyd yn yr *Herald*, 'fyddai i'r *circus* ddod i'r dref pan oedd y dref yn llawn o Eisteddfodwyr.' Ond doedd pawb ddim yn cytuno.
    Mr T. J. Williams: Mae y naill *circus* gystal â'r llall.
    Mr Toleman: Mae'n dibynnu lle mae y clowns.

Cyfrol werthfawr arall o ran ein dealltwriaeth o wleidyddiaeth Gymreig yw *Rhyfel Ni* – Profiadau Cymreig o Ddwy Ochr Rhyfel y Falklands/Malvinas. Un flynedd ar hugain ar ôl y rhyfel, ymwelodd â Phatagonia i holi teuluoedd milwyr Archentaidd o dras Cymreig. Ymwelodd hefyd â theuluoedd Cymreig roedd aelodau ohonynt wedi ymladd – a rhai wedi'u lladd – yn y rhyfel honno. Drwy'r gyfrol, mae'n cyflwyno'r ffeithiau fel mae'n eu canfod ac yn mynegi teimladau y ddwy ochr yn groyw. Nid hanes y brwydro na dadansoddiad o'r rhyfel sydd yma ond adrodd straeon pobl o'r un cyff a gawsai eu dal ar ddwy ochr wahanol yn y brwydro. Mae'n llyfr hanfodol mewn cyfnod hynod o jingoistaidd yn hanes y cyfryngau Prydeinig – ac mae hynny'n cynnwys HTV yn anffodus, fel yr eglurir yn y gyfrol. Stori am noson yn y Davarn Las yn y Gaiman sydd yn y cyflwyniad. Mae Ioan yn ei gael ei hun yno am hanner nos yng nghwmni aelodau o Aelwyd yr Urdd Llanuwchllyn a phobl ifanc Cymraeg lleol. Mae'r criwiau ifanc yn morio canu 'Pan Ddaw Yfory', 'Calon Lân' ac 'Yma o Hyd'. Gallasai ramantu am hynny, meddai'r awdur a gallasai fod yn negyddol:

> 'Ond mi fyddai gofyn ichi fod yn sinig dychrynllyd i beidio â theimlo rhyw wefr yn eich calon ar noson fel heno yn y Gaiman, wrth i asbri ifanc Dyffryn Camwy a Sir Feirionnydd bontio pum cenhedlaeth a saith mil o filltiroedd. A fedrwn i, oherwydd y perwyl roeddwn i arno, ddim peidio â meddwl hyn: petai'r criw yma ugain mlynedd yn hŷn mi allai rhai ohonyn nhw fod yn trio lladd ei gilydd ar ynysoedd gerwin chwe chan milltir o'r *Davarn Las*, er mwyn penderfynu a ddylai'r lle hwnnw gael ei alw'n Falklands neu'n Malvinas.'

Wrth iddo olygu tair cyfrol o sgyrsiau radio'r chwedlonol

Beti George, mae'n werth sylwi ar ei ddewis o 30 o westeion o blith degawdau'r gyfres. Mae'n dangos rhychwant eang ei ddiddordebau a'i awydd i gael barn a safbwyntiau gwahanol i'w gilydd. Meddai Ioan am Beti:

> 'Mae ganddi'r ddealltwriaeth i ofyn y cwestiwn rydan ni i gyd eisiau'i ofyn, y galon i gyflwyno hwnnw yn llawn cydymdeimlad a'r ddawn i gael ateb llawn a rhyfeddol. A hynny, yn syml, am mai hi yw'r holwr sy'n gwrando orau ar y cyfryngau Cymraeg.'

Ymysg detholiad 'annisgwyl' Ioan mae sgwrs Beti â'r Ceidwadwr Rod Richards. Ond roedd y sgwrs honno'n cynnwys y cwestiwn a'r ateb annisgwyl hwn:

> *'Nawr aethoch chi i Ysgol Gymraeg Dewi Sant fel John ych brawd a Margaret ych chwaer ontife. O'dd hynny'n siŵr o fod yn gam mawr i'ch rhieni i'w gymryd ar y pryd, fyse fe'n benderfyniad dewr ar y pryd siŵr o fod Rod?*

> Oedd, yn benderfyniad dewr dros ben. A'th 'y mrawd hyna i, Huw ddim yno achos o'dd e'n rhy hen i fynd pan ddechreuodd yr ysgol yn 1947. Oedd, o'dd e'n gam dewr dros ben achos hon o'dd yr ysgol Gymraeg gynta' yn y sector gyhoeddus yng Nghymru, ac roedd 'na ymdrechion mawr yn ca'l 'u gneud i stopio'r ysgol, yn gyntaf rhag ca'l 'i sefydlu, a hyd yn o'd ar ôl iddi ga'l 'i sefydlu, i rwystro rhieni rhag danfon 'u plant i'r ysgol ...

> *Cafodd ych rhieni brofiad o'r math o wrthwynebiad o'dd yn digwydd?*

> Dim ond bo' bobl wrth gwrs ar ben ffordd yn siarad am y peth, ac yn ame a oedd e'n beth doeth i blant ga'l 'u

haddysg yn gyfan gwbl yn y Gymraeg. Ond y gwir amdani yw, roedd canlyniade 11+ Ysgol Dewi Sant lot gwell na'r holl ysgolion eraill yn Llanelli, ac wrth gwrs roedd safon y Saesneg hefyd cystal os nad gwell na safon Saesneg pawb arall.'

Wrth ei waith fel gohebydd *Y Cymro*, cydweithiodd Ioan gyda'r ffotograffydd enwog Geoff Charles am flynyddoedd. Deallodd Ioan bwysigrwydd lluniau i gyd-fynd â geiriau o'r dechrau. Yn Geoff Charles, cafodd bartner gwerthfawr am fod gan y ffotograffydd 'ddiddordeb mawr yn y stori yn ogystal â'r llun.' Rhwng y ddau cafwyd straeon a lluniau cofiadwy o'r blynyddoedd hynny a chyfraniad mawr arall gan Ioan oedd dethol a golygu a chyfansoddi testunau i bedair cyfrol o luniau Geoff Charles. Talodd deyrnged i waith y ffotograffydd adeg boddi Tryweryn, a hynny ar adeg pan oedd cyfryngau eraill yn ennill tir:

'Stori fwyaf y cyfnod oedd boddi Tryweryn, ac fe'i cofnodwyd yn feistrolgar trwy gyfrwng camera Geoff Charles: yr archwilio tir cyntaf; datgorffori'r capel; cau'r ysgol; gwagio aelwydydd a phrotest fawr yr agoriad swyddogol. Does yr un ffilm na rhaglen deledu wedi llwyddo i gyfleu ing Capel Celyn i'r un graddau â'r delweddau llonydd, aflonydd yma gan Geoff Charles.'

Fel yn achos llawer o'r newyddiaduraeth orau, roedd wedi ei gorddi i'r byw gan yr hyn oedd yn digwydd o flaen ei lens. Nid gwaith oedd hyn bellach, ond cenhadaeth.

Pan droes Ioan at fyd teledu, cafodd gyfle i gydweithio gyda chrefftwyr geiriau oedd yn dod o gefndir theatr a sgriptio. Un o'r rhai pennaf i ddylanwadu arno oedd Wil Sam. Cydweithiodd y ddau ar straeon *Almanac* ac yna ar gyfrol am gymeriadau Eifionydd. Golygodd Ioan nifer o hunangofiannau gan gynnwys un Gwilym Plas a gynhyrchodd nifer o ddramâu Wil Sam ac un Stewart Jones a chwaraeodd gymeriad Ifas y Tryc. Cafwyd sylwadau cyrhaeddgar gan Stewart:

'Mi lwyddodd Wil, trwy Ifas y Tryc, i ddefnyddio'r Saesneg at ei iws ei hun. Dim 'embarrass' oedd Ifas yn ei ddweud ond embaras, ac roedd hwnnw'n mynd yn air hollol Gymraeg. Roedd rhywun yn chwerthin am ben yr iaith Saesneg am y tro cynta. Mae'r gwrthwyneb yn digwydd heddiw. Pan geith rhywun air Saesneg yng nghanol llinell Gymraeg mae'n rhaid iddyn nhw gael ei ddweud o'n berffaith Saesneg. 'Dwi isio mynd i chwilio am 'cornflakes' i frecwast'. 'Mae'n rhaid imi chwilio am fy nghorn fflêcs,' fasa Ifas yn ddeud ... Diawl mae corn fflêcs yn well na 'cornflakes' yn y cyswllt yma yn dydi?'

Un a faged yn Lerpwl ond a ddeuai at ei nain i Bwllheli ar ei wyliau oedd Hywel Heulyn. Bu Ioan yn cofnodi'i hunangofiant ac mae'n siŵr bod y cyswllt hwnnw yn un cwlwm rhwng y ddau. Un arall oedd bod Hywel a'i frawd yng nghartref ei nain ar 8fed Medi, 1936 pan ruthrodd 'y dyn gwerthu ffrwythau' i'r gegin gefn a hwythau ar eu brecwast gan gyhoeddi, 'Mae'r diawliaid wedi rhoi Penyberth ar dân!'

Aeth y ddau frawd drwy'r cwrs golff i weld y marwydos. Gwyddai Ioan fod ganddo ddeunydd cyfrol os oedd y dyn yn cofio'r teimlad a gafodd y llanc dwy ar bymtheg oed wrth weld yr olygfa. 'Roedd y cochni yng ngweddillion y goelcerth yn creu iasau i lawr fy nghefn. Allwn i ddim peidio â theimlo rhyw wefr a gorfoledd fod cenedl y Cymry, wedi'r holl ganrifoedd, yn dal i wrthod moesymgrymu.'

Tân yn fy Nghalon ydi enw addas atgofion oes un a

dystiai fod y digwyddiad hwnnw wedi llywio'i fywyd. Allwn ni ddim ond dychmygu'r pleser a gafodd Ioan wrth wrando ar yr Hywel ffraeth a diffuant hwnnw yn adrodd am droeon ei yrfa a'i gyfrifoldebau wrth fagu teulu ac wrth arwain llywodraeth leol yn Nyfed.

Lluniodd Ioan gofiant cyfan i Elfed Lewys, y gweinidog a'r canwr gwerin, drwy gasglu straeon pobl eraill amdano. Mae pob stori wedi'i dewis a'i gosod yn ei lle'n ofalus i ddatgelu mwy a mwy am y 'cawr ar goesau byr'. Mae Cogs o Aelwyd Penllys yn cofio ei helpu i glirio'r tŷ pan oedd yn symud i Groes-goch ger Tyddewi. Roedd pedair blynedd ar ddeg o drugareddau yn ei gartref ym Maldwyn:

'Oedd 'na ... gymaint o bethe'n y llofft na allet ti ddim mynd i fewn trwy'r drws. Lot o *cheques* yma ac acw, wedi'u cael nhw am bregethu, flwyddyn neu ddwy ynghynt a heb gael eu cashio. Roedden ni'n mynd â nhw iddo fo ac ynta'n dweud, 'Jiw fanna roedd hi! Wi wedi bod yn chwilio am y cithrel 'na.'

Yn ei gyflwyniad i gyfrol a olygodd ar gymeriadau Llŷn yng Nghyfres *Cymêrs Cymru*, mae'n dweud bod 'gan bob cenhedlaeth duedd i hiraethu am gymeriadau'r gorffennol, heb sylweddoli bod rhai newydd o dan eu trwynau'.

Ymhyfrydodd yng nghymeriadau ei oes ei hun, pobl roedd yn mwynhau eu cwmni am eu bod yn annibynnol, anghydffurfiol a chyda dawn dweud.

Pan aeth Ioan ati i groniclo hanes creu *C'mon Midffîld* yn y gyfrol *Stori Tîm o Walis*, dywedodd na fyddai'n mynd ati i geisio dadansoddi cyfrinach y rhaglenni. 'Yr hyn a gawn ni ydi straeon difyr am y syniadau, y cymeriadau, y digwyddiadau a'r helbulon ...' Gwnaeth hynny gan greu llyfr sy'n gyfraniad anferth at ein llenyddiaeth am hiwmor.

Roedd gan Ioan reddf at weld gwerth yn y manion wrth ddweud stori.

'Er mwyn creu awyrgylch i'r gyfres penderfynodd Elwyn Jones recordio rhai golygfeydd ar gae pêl-droed Dinas Bangor yn hytrach nag yn y stiwdio. Roedd rhai o'r actorion wrth eu boddau yn cicio pêl ac yma roedd rhwydd hynt iddyn nhw wneud hynny a recordio ar yr un pryd. Doedd dim angen iddyn nhw actio eu bod wedi colli eu gwynt, gan fod hynny'n digwydd go iawn. Y broblem fwyaf ar gae Farrar Road yn ystod y tymor pêl-droed oedd mwd a hwnnw'n tueddu i effeithio ar y sŵn yn ogystal ag ar gydbwysedd corfforol yr actorion. Cafodd gweddill y criw fodd i fyw un tro wrth weld Mr Picton yn bytheirio ar y lein ac yn disgyn ar ei hyd yn y llaid. Roedd sôn mai hon fyddai'r rhaglen radio gyntaf yn hanes y BBC i hawlio costau golchi dillad. Oherwydd y broblem honno, symudodd y gweithgareddau i feysydd pêl-droed y Brifysgol oedd dipyn yn lanach.'

Gwyddai am werth casglu profiadau yn eang hefyd, ac mae'r cyfweliadau trylwyr gyda'r actorion a'r tîm cynhyrchu yn ychwanegu at hiwmor y rhaglenni. Dyma ran o ymateb John Pierce Jones ar ôl darllen y sgript gyntaf:

'... mi o'n i'n nabod cymeriad Picton yn syth, heb orfod mynd i chwilio amdano. Dau beth roedd Niwbwrch 'cw yn enwog amdanyn nhw yn y pum degau oedd tîm ffwtbol a chôr. Griffiths Plisman oedd yn rhedeg y tîm ffwtbol. Mi fyddan nhw'n cyfarfod ar nos Lun i ddewis y tîm at ddydd Sadwrn ac yn dadlau bron at daro tan hanner nos cyn dod i ryw fath o ddealltwriaeth. Ond pan fydda'r tîm yn cael ei ddangos yn ffenest y post ar bnawn dydd Mawrth doedd o'n ddim byd tebyg i'r un oedd wedi'i gytuno. Hwn oedd y tîm roedd Griffiths Plisman wedi meddwl amdano fo yn y lle cynta, a fynta wedi anwybyddu barn pawb arall yn llwyr. Yr union beth fasa Picton yn wneud. Dyna oedd yn dda am y gyfres – mae pawb ym mhob ardal yn nabod Picton ac yn medru uniaethu efo'r math yma o gymeriad.'

Yn Eisteddfod Genedlaethol Abertawe yn 2006 roedd Ioan fel arfer yn mwynhau gyda'r nos mewn adlen, y noson honno gyda'i ffrindiau o Aberystwyth. Eisteddfod derbyn Richard Brunstrom, Prif Gwnstabl Gogledd Cymru, i'r Orsedd oedd hi. Roedd Ioan yn ei afiaith fel arfer yn adrodd straeon wrth y bois o amgylch y bwrdd. Roedd y merched wedi eu gadael i fynd i adlen yr ochr draw i ganu ac ymuno gyda'r criw swnllyd mewn parti.

Ymysg y cwmni roedd un mor ddrygionus â Ioan, Tegwyn Rhosgoch. Beth welwyd oedd car yr heddlu yn dod heibio a Tegwyn yn brasgamu mas heb ddweud gair wrth neb ac atal car yr heddlu. Cwyno wnaeth e am yr holl sŵn a oedd yn dod o'r adlen yr ochr draw a gofyn i'r cwnstabl eu tawelu, gan ei fod e'n cystadlu mewn rhagbrawf yn gynnar y bore wedyn. Daeth y Cwnstabl ifanc allan o'i gar yn llawn hyder a cherdded draw yn bwrpasol at yr adlen swnllyd heb ddim lol. Wrth gyrraedd y criw uchel eu cloch, yn canu yn llawn afiaith, digwyddodd y Cwnstabl edrych i mewn i'r garafán a gweld wynebau ei Brif Gwnstabl a'r Dirprwy yn mwynhau eu hunain ynghanol y rhialtwch. Anghofiodd y Cwnstabl ifanc druan bob dim am y gŵyn, hollol ffug fel mae'n digwydd, cyn rhuthro yn ôl am ei gar yn llechwraidd a bant â fe ar frys.

Cyfarchiad Ioan i Tegwyn bob eisteddfod wedyn oedd 'Shwd mae Br-un-str-om pnawn 'ma', gan rowlio'r Br a'r tr yn yr enw. Do, gwelodd Ioan bob symudiad ac fe'i cofnododd fel y gallai adrodd y stori mewn manylder wedyn wrth ffrindiau mewn parti arall.

Ond, wrth gwrs, yn ogystal ag adrodd straeon, roedd Io Mo yn gymeriad mewn straeon yn ogystal. Yn ei angladd, roedd gan bawb ei stori amdano. Roedd Dic Hen Felin, Llwyndyrys wedi'i gyfarfod yng Nghaerdydd er mwyn mynd i gêm rygbi. Dipyn hwyrach y noson honno, y ddau'n dal trên adref – Ioan i Bontypridd a Dic i Gaerffili. Roedd y ddau wedi ymgolli gymaint yn eu sgwrs wrth gerdded ar y platfform nes i Ioan ddal trên Caerffili a Dic y trên i Bontypridd.

Y tro cyntaf i mi gyfarfod Ioan, roeddwn i'n hogyn ysgol newydd ennill Cadair Eisteddfod Genedlaethol yr Urdd yn y Rhyl. Mi ges fy nhywys i Babell y Wasg ar ôl y seremoni ac mi wnes gyfweliad gydag o ar gyfer *Y Cymro*. Roedd yna drefniadau wedyn ar gyfer cyfweliadau ar raglenni Cymraeg radio a theledu. Yno hefyd roedd dau newyddiadurwr o raglen Saesneg y BBC a ofynnodd imi am gyfweliad. Cytunais a dywedais mai ateb eu cwestiynau yn Gymraeg a wnawn i ond bod croeso iddyn nhw drosleisio neu isdeitlo. 'No, we don't do that kind of thing.' Fedrwn i ddim trafod y cerddi yn Saesneg, dywedais ond roeddan nhw'n dal i roi pwysau arna i. Doedd neb o'r Urdd yno i fy ngwarchod ac roedd y pwysau'n troi'n fwlio os nad yn fygythiad. Trois at Ioan oedd wrth ei ddesg yn rhoi trefn ar ei adroddiad ei hun. Cododd ei ben ac rwy'n clywed ei eiriau o hyd, 'Paid â gwrando dim ar y ffyliaid!'

Prin yw'r newyddiadurwyr hynny y mae eu gwaith ysgrifenedig yn gyfraniad i lên gwerin eu cyfnod. Prinnach fyth yw'r newyddiadurwyr sy'n tyfu'n rhan o lên gwerin eu cyfoeswyr. Ond un o'r rheiny oedd Ioan.

Y CYFNOD CYNNAR A'R BLAID

Ffrindiau ers Ysgol Ramadeg Botwnnog

Roy Jones

Y tro cyntaf i mi gyfarfod Ioan oedd ym mis Medi, 1952 yn Ysgol Ramadeg Botwnnog. Roeddem yn yr un dosbarth, er ei fod flwyddyn yn iau na fi am iddo basio'i sgolarship yn ddeg oed. Mi ddaethom yn ffrindiau da mewn dyddiau ac felly y bu tan ei farwolaeth sydyn ac annisgwyl. Cawsom lawer o hwyl dros y blynyddoedd a phlentyndod arbennig o hapus.

Doedd garddio ddim yn un o hoff bynciau Ioan a chofiaf iddo wneud smonach o gyfarwyddiadau Mr T.J. Hughes mewn un wers. Ei dasg oedd chwynnu border, ond doedd Ioan druan ddim yn gallu gwahaniaethu rhwng y chwyn a'r blodau. Gwnaeth gamgymeriad mawr wrth holi disgybl hŷn pa rai oedd y chwyn. Pan ddychwelodd Mr T.J. Hughes ymhen ychydig i weld sut hwyl roedd Ioan yn ei gael beth a welodd oedd rhesi taclus o chwyn a dim un blodyn! Roedd yr athro'n hoff iawn o ddefnyddio'r gansen a dyna fu tynged Ioan. Lleddfwyd ychydig ar ei boen wrth weld Mr Hughes wedyn yn defnyddio'r gansen ar ben ôl Gwilym o Laniestyn. Yn ffodus i Gwilym roedd ganddo becyn o 'mint imperials' ym mhoced ôl ei drowsus ac mi chwalodd y gansen yn ddarnau wrth eu taro, er mawr foddhad i Ioan a'r holl ddisgyblion eraill.

Un o ddiddordebau pennaf Ioan oedd chwarae pêl-droed a byddem yn chwarae bron bob amser chwarae. Byddai pedwar ohonom yn chwarae pêl-droed hefyd gyda'r nos ar gae fferm y Glasfryn, Bryncroes sef: Owen (Now Glasfryn), y diweddar Albert (Albert Ffer), Io Mo a finnau, Roy Tegfan. Yn dilyn 'cup final' 1953 arwr mawr Ioan oedd Stanley Mathews a cheisiai Ioan ei efelychu bob tro y byddem yn chwarae. Cawn innau fy ngalw yn Roy Bentley a hynny ers fy nyddiau yn Ysgol Gynradd Bryncroes. Ar ôl bod yn chwarae ar gae Glasfryn am gyfnod, penderfynwyd trefnu gêm yn erbyn

Dyddiau Ysgol Botwnnog

hogiau Aberdaron – Aberdaron v Glasfryn Rangers. Roedd Ioan ynghanol y trefniadau wrth gwrs a dw i'n ei gofio fo a fi'n perswadio'r diweddar Carroll Hughes o Rhiw – peldroediwr arbennig – mewn gwers Ffiseg i ddod i chwarae i ni. Llwyddo i'w arwyddo yn y wers cyn i hogia Aberdaron gael cyfle i wneud. Y telerau oedd chwarae'n ddi-dâl a dod i Aberdaron ar ei gost ei hun. Ioan yn ei berswadio fod yr anrhydedd o chwarae i Glasfryn Rovers yn ddigon o wobr! Mae'n debyg mai'r un telerau gafodd y dyfarnwr, Robin o Dinas, sef Dr. Pritchard Meddygfa Rhydbach Botwnnog yn ddiweddarach. Chwaraewyd y gêm, er nad oes gen i unrhyw syniad o'r sgôr, ond mae'n debyg mai ni, Glasfryn Rovers enillodd. Pa obaith oedd gan Aberdaron efo Stanley Mathews yn ein tîm ni?

Daeth Ioan yn ffrindiau mawr hefyd efo'r diweddar Gwynfor Ellis o Fynytho, gan fod Nain Gwynfor yn byw yn ymyl cartref Ioan. Byddai Gwynfor a'i deulu'n galw efo'i nain yn rheolaidd ac ymunai Ioan â nhw i gael te a bara brith. Doedd Ioan ddim yn hoffi'r ffrwythau yn y bara brith ond eto'n mwynhau'r menyn cartre. Byddai'n llyfu'r menyn yn lân oddi ar y bara ac wedyn yn ei guddio rhag i neb weld nad oedd wedi ei fwyta. Yna, wrth ddychwelyd i gartre Ioan i chwarae byddai'n rhoi'r bara brith i Gwynfor a oedd yn hoff o'r ffrwythau.

Yn ystod yr haf byddai Albert, Ioan a minnau yn ymarfer mabolgampau, yn arbennig y naid hir. Roedd pwll tywod ar fferm Fair View, cartref Albert, a byddem yn treulio oriau yn ymarfer yno. Roedd Albert yn eithriadol o dda ar y naid hir, torrodd record yr ysgol ac yn wir fo oedd pencampwr holl ysgolion Cymru yn y flwyddyn 1959/1960. Byddai Ioan a finnau yn ymfalchïo yn llwyddiant Albert ac yn wir yn teimlo i ni fod o gymorth iddo wireddu ei freuddwyd o ddod yn bencampwr.

Fydden ni byth yn gwneud difrod, er ein bod yn gallu bod yn ddireidus wrth roi cnoc ar ambell ddrws cyn ei heglu hi. Dw i'n cofio Ioan yn curo ar ddrws ffermdy yn Llangwnnadl a chan ei bod wedi dechrau tywyllu welodd o mo'r bwced haearn wrth ei baglu hi oddi yno. Mi gwympodd ar ei hyd drosto gan greu andros o glec cyn dianc. Byddem ar Nos Galan yn dilyn y traddodiad lleol o dynnu gatiau oddi ar dai wedi iddi dywyllu. Ar dir Fair View mewn hen adfail roedd gynnon ni bibell ddŵr a byddem yn cael hwyl yn chwistrellu'r dŵr dros geir wrth iddynt fynd heibio, yn arbennig ceir ymwelwyr. Ond och a gwae, un tro gwnaethom gamgymeriad mawr wrth roi trochfa i saer coed lleol ac yntau'n teithio â ffenestr ei fan yn llydan agored. Wrth iddo fytheirio a rhedeg ar ein holau i'n ceryddu, bu'n rhaid dianc nerth ein coesau – diolch byth ein bod yn sionc ac yn heini bryd hynny.

Mi oeddem hefyd yn hoff iawn o ddefnyddio ein beiciau a stori uchel iawn gan Ioan oedd am yr adeg yr aethom i draeth Porthor a darganfod 'mine' o'r Ail Ryfel Byd ar y tywod. Ar ôl astudio'r darganfyddiad penderfynwyd mynd i Aberdaron at Ifans y plisman i ddweud wrtho beth roeddem wedi ei weld. Daeth yntau wedyn yn ei gar i Borthor ac astudio'r 'mine' a phenderfynu ei roi yn bŵt y car i ddychwelyd i Aberdaron. Doedd rheolau Iechyd a Diogelwch ddim mewn bod yr adeg hynny mae'n amlwg! Wedyn bu'n rhaid galw y *bomb disposal squad* i Aberdaron i ffrwydro'r ddyfais.

Dro arall aeth y tri ohonom, Albert, Ioan a minnau ar ein beiciau i Nant Gwrtheyrn. Roedd hyn yn dipyn o antur yr adeg hynny achos mi oedd Nant Gwrtheyrn yn bell iawn o Langwnnadl, yn ein tyb ni. Ar ôl cyrraedd y pentref roedd y tai i gyd bron yn adfeilion a neb wedi byw ynddynt ers blynyddoedd. Ond, roedd y capel ar ei draed a doedd o ddim wedi dirywio fawr iawn, felly aethom i mewn. Ar ôl darganfod Beibl yn y pulpud mi feddyliom mai'r peth priodol fuasai cynnal gwasanaeth byr. Albert oedd y codwr canu, finnau yn darllen adnod neu ddwy a Ioan wrth gwrs yn traddodi pregeth fer. Roedd y ddawn o drin geiriau yn bresennol hyd yn oed yn y dyddiau hynny. Ar ôl treulio pnawn difyr yn stwnan o gwmpas y pentra roedd yn rhaid troi am adref – taith o bron i 15 milltir. Mae'n debyg ein bod wedi bod oddi cartref trwy'r dydd ond doedd ein rhieni ddim yn poeni oherwydd roedden nhw'n gwybod y basan ni'n siŵr o ddod adref pan fydden ni eisiau bwyd.

Roedd beic yn hwylus iawn i fynd i Borth Colmon neu draeth Penllech, Llangwnnadl yn enwedig yn yr haf. Mi fydda Ioan a minnau yn mynd i ben yr allt i dorheulo a mynd â'n llyfrau ysgol gyda ni i wneud tipyn o astudio. Ond, wrth dyfu'n hŷn mi roedd yn haws astudio siâp y genethod ieuanc, dieithr a hardd a fyddai ar eu gwyliau na cheisio cofio rhyw 'formulas' ac ati. Felly pan ddeuai yr arholiadau doedd yr amser a dreuliasom ar draeth Penllech o fawr gymorth i ni.

Ar ôl dyddiau'r beiciau daeth yn amser meddwl am ddysgu gyrru car ac er bod Albert ddwy flynedd yn ieuengach na fi y fo oedd y cyntaf i basio'r prawf gyrru. Câi ddefnyddio car ei rieni ac am gyfnod hir y ddefod ar fore Sul fyddai i'r tri ohonom fynd i siop Penygraig, Llangwnnadl i brynu papur dydd Sul cyn mynd ymlaen wedyn i Borth Colmon. Pan fyddai'n braf hwyrach yr aem am dro ar y llwybr ar ben yr allt, neu dro arall aros yn y car yn darllen penawdau'r papur ac yn trin a thrafod a rhoi y byd yn ei le.

Ar ôl swper ar nos Sul, am gyfnod hir byddai Ioan a minnau yn cerdded oddeutu tair neu bedair milltir o gwmpas yr ardal. Yn ystod y daith, a fyddai'n cymryd rhyw ddwy awr, mi fyddem yn siarad am bob math o bynciau, byth yn ffraeo, er weithiau yn anghytuno ac yn y diwedd yn cytuno i anghytuno cyn anghofio am y drafodaeth. Byddem hefyd yn cael aml i sigarét ar y daith hamddenol a diddorol honno.

Rwy'n cofio Ioan yn prynu ei gar cyntaf – Ford mewn tipyn o oed a oedd yn ffond iawn o lyncu dŵr. Roedd angen cario dŵr efo ni ar bob siwrna. Un tro aeth y tri ohonon ni i wylio gêm bêl-droed, Pwllheli v Nantlle Vale ym Mhenygroes. Bu'n rhaid llenwi radiator y car cyn cychwyn y daith a bu'n rhaid rhoi dŵr wedyn tua Glynllifon. Cyn cychwyn am adref bu'n rhaid ei lenwi unwaith eto a rhoddwyd gweddill y dŵr oedd gennym ar ôl wrth gyrraedd ardal Pwllheli. Yn anffodus, roedd dringo i fyny allt Sarn Mellteyrn bron yn drech na'r hen gar bach ac ymhen ychydig wedyn roedd angen mwy o ddŵr. Bu'n rhaid galw am ddŵr mewn dau dŷ cyfagos ond, yn anffodus, chawson ni ddim ateb ynddynt. Gan fod tri ohonom yn y car doedd dim ond un ateb i'r broblem, ac mi wnaeth pawb ei gyfraniad yn ei dro i lenwi'r radiator. Cychwynnodd y car ac aeth â ni'n saff am y ddwy filltir olaf i gartref Ioan ym Mhengroeslon. Mi gariodd y Ffordyn ni am gryn amser wedyn ac er nad oedd ein cyfraniad ni wedi datrys problem y radiator wnaeth o ddim gormod o niwed iddo chwaith, diolch byth.

Pan oeddwn yn 70 oed cefais barti pen-blwydd hollol annisgwyl wedi ei drefnu gan fy merch a rhai eraill o'r teulu ac roedd yn bleser gweld Ioan yn bresennol. Ar ôl bwyta a chael peint neu ddau gofynnodd Ioan i mi a oeddwn wedi agor ei anrheg a dywedais fy mod am wneud ar ôl cyrraedd adref. Roedd yn benderfynol iawn y dylswn ei agor yn y fan a'r lle rhag ofn y byddai angen ei newid. Wedi gwneud cefais sioc o weled llyfr *Roy Wonder*, hanes Roy Bentley y peldroediwr wedi ei ysgrifennu gan Roy Bentley a Jim Drury. Y tu mewn roedd amlen a cherdyn pen-blwydd. Ar yr amlen, yn ysgrifen Ioan roedd Roy Bentley Jones. Pwy ond Ioan fuasai wedi cofio ac wedi cael gafael ar lyfr a oedd wedi cael ei gyhoeddi flynyddoedd mawr yn ôl. Pan ofynnais sut yn y byd roedd wedi cael gafael ar y llyfr, ei ateb parod oedd, 'Mae modd cael gafael ar bethau dim ond i ti edrych yn y mannau iawn.' Sôn am hwyl wedyn wrth hel atgofion hyfryd ac ail-fyw ein hieuenctid.

Teimlaf yn freintiedig iawn i mi gael Ioan yn ffrind gydol oes. Bydd colled enfawr i ni i gyd ar ei ôl.

Y *ffrind triw*

Wil Roberts ('Wil Coed')

Io Mo. Wil Meillionydd fathodd yr enw ar ddiwrnod cyntaf Ioan yn yr ysgol.

'Be di d'enw di?' gofynnodd Wil.

'Ioan.'

'Ioan?'

'Ia.'

Syllodd Wil arno.

'Ioan!'

'Io.'

'Io Mo.'

'Ho! Ho!'

Glynodd yr enw.

Ddechrau Ionawr 1963, ar y trên o Afon-wen y gwelais i am y tro cyntaf y llencyn penfelyn, tal, mor denau gallai fod yn bwyta gwellt ei wely, a'i lygaid glas disglair, direidus, eisoes wedi dechrau hel crychau hiwmor a chwerthin. Ie, Io Mo, a daeth yn rhan annatod o fy mywyd o ddiwedd fy arddegau tan ddiwedd fy ugeiniau. Ymhen peth amser wedyn roedd yntau ar ei ffordd i Brifysgol Manceinion i orffen ei gwrs mewn Peirianneg Sifil a minnau yn mynd i Brifysgol Lerpwl lle'r oeddwn i'n cychwyn ar gwrs Milfeddygaeth. Prin 'mod i wedi siarad paragraff cyfan o Saesneg ar ei hyd cyn cyrraedd Lerpwl ac yn naturiol, y Gymdeithas Gymraeg oedd fy noddfa. Roedd hi'n arfer gan gymdeithasau Cymraeg y ddwy Brifysgol ymweld â'i gilydd bob tymor. Tro Lerpwl oedd ymweld â Manceinion yn nhymor y Pasg 1963. Llenwodd y ddwy Gymdeithas gongl helaeth o far Undeb y Myfyrwyr, a dyma gyfarfod Io am yr eildro a hefyd cyfarfod â David Wigley am y tro cyntaf, a elwid yn 'Dei' bryd hynny. Niwlog braidd yw fy nghof am ddiwedd y noson. Ond, yn ôl Io, roeddwn wedi llwyddo i adrodd 'Eifionydd' gan R Williams Parry ar ben bwrdd yn y bar wrth dyrfa werthfawrogol o

Ymweliad cyntaf ag Iwerddon

fyfyrwyr a hynny heb arlliw o'r atal dweud oedd, a sydd, yn fwrn arna i.

Doedd Io ddim mwy o gyw Peiriannydd Sifil nag oeddwn i o gyw Milfeddyg. Gadawodd Io'r Brifysgol heb radd a chefais innau fy nhaflu allan ar ddiwedd y flwyddyn gyntaf, ar ôl llwyddo i wneud yn waeth wrth ail sefyll yr arholiadau nag y gwnes y tro cyntaf. Cymru, Cymreictod a'r Gymraeg oedd yn mynd â bryd y ddau ohonom o'r cychwyn. Dim ond blwyddyn oedd ers i Saunders Lewis draddodi ei ddarlith *Tynged yr Iaith* ac roedd y ddau ohonom wedi'n trochi yn y bwrlwm a gododd yn ei sgil dros well dyfodol i Gymru a'r Gymraeg. Cefndir Llafur oedd gan Io. Fo oedd cynrychiolydd Robin 'Mwsh' Pritchard, yr ymgeisydd Llafur yn ffugetholiad disgyblion Ysgol Botwnnog adeg etholiad cyffredinol, 1959. Dim ond

Gweithio fel peiriannydd sifil

ar ôl gadael Rhoshirwaun a dod i adnabod a deall Cymru y datblygodd yn genedlaetholwr pybyr, un y daeth Cymru gyfan i'w adnabod.

Cafodd Io waith fel peiriannydd yn Adran Ffyrdd a Phontydd Cyngor Sir Drefaldwyn ar ôl gadael Manceinion. Flwyddyn ynghynt, ym 1962, roedd Islwyn Ffowc Elis wedi ymladd isetholiad seneddol dros y Blaid yn Sir Drefaldwyn, y tro cyntaf erioed i'r Blaid fentro gwneud hynny, ac er ei fod ar waelod y pôl, roedd wedi llwyddo i ddenu dros bymtheg cant o bleidleisiau. Roedd brwdfrydedd yr ymgyrch yn dal yn fyw yn y gymdeithas Gymraeg y toddodd Io mor rhwydd yn rhan ohoni a dod yn un o hoelion wyth y Blaid yn y sir.

Erbyn 1966, roeddwn i wedi mentro'n ôl i academia i ddilyn gradd mewn Amaethyddiaeth yng Ngholeg Bangor. Roedd Io ym mhorfeydd brasach Adran Carthffosiaeth Cyngor Tref Amwythig, dros y ffin ond yn ddigon agos iddo ddod adref i Sir Drefaldwyn gyda'r nos. Yr haf hwnnw, roedd y Bwrdd Marchnata Llaeth yn cynnig gwaith dros yr haf i fyfyrwyr oedd yn ffansïo gyrfa yn y diwydiant a chefais waith yng nghwt cynhyrchu caws hufenfa'r Bwrdd yn Four Crosses, dafliad carreg o Crugion lle'r oedd Io yn byw mewn tŷ rhent ar fferm a lle cefais innau lety. Ardal yn hytrach na phentref yw Crugion, bron ar y ffin, a chwbl ddi-Gymraeg. Teithio efo Io i ddigwyddiadau yn yr ardaloedd Cymraeg a wnaeth i mi sylweddoli nad ystrydeb yw mwynder Maldwyn.

Hon, wrth gwrs, oedd blwyddyn isetholiad Caerfyrddin. Doedd hi ddim mor hawdd cyfathrebu'r adeg hynny, doedd gan Io ddim ffôn yn y tŷ a dim ond mewn comics roedd ffonau symudol. Roedd hi'n eithaf hwyr yn yr ymgyrch cyn i ni glywed am y daeargryn oedd yn cyniwair yng Nghaerfyrddin. Roedd ymgyrch Gwynfor yn agoriad llygad gan mai ein profiad ni o ganfasio cyn hynny oedd bod yn rhan o griw bychan oedd yn cael eu hel yn eithaf anhrefnus i rannu taflenni yma ac acw. Yng Nghaerfyrddin, roedd trefn, a byddin o bobl ifanc i'w gweithredu. Agoriad llygad hefyd oedd parodrwydd pobl i drafod gwleidyddiaeth yn agored ac addo eu pleidlais i Gwynfor. Yno, yn ardal Llanboidy, meddai Io, y clywodd am y tro cyntaf bobl yn siarad Cymraeg heb iddo ddeall yr un gair roedden nhw'n ei ddweud. Ond roedd yr ymgyrch yn codi uwchben geiriau. Deffrodd Io fi hydoedd cyn y newyddion cyntaf ar y radio y bore wedi'r etholiad. Rydw i'n dal i gofio geiriau'r cyhoeddiad a agorodd y bwletin hwnnw. '*The Welsh Nationalist candidate HAS won the Carmarthen by-election giving the party its first seat in Parliament.*' Treuliodd Io y diwrnod hwnnw'n argyhoeddi staff Adran Garthffosiaeth Cyngor Tref Amwythig fod y Gymru Rydd ar y gorwel.

Ym Mhontrhydyfen roedd cynhadledd y Blaid yn cael ei chynnal y flwyddyn honno, ar y penwythnos cyn yr

Eisteddfod Genedlaethol yn Aberafan. Roedd dyddiau hir o ddathlu o'n blaenau. Ond, ar y ffordd i lawr, ar ddarn anghysbell o'r ffordd fynyddig o'r Drenewydd i Landrindod, disgynnodd injan fan Io ddwy fodfedd tua'r ddaear a stopio'n stond. Roedd hyn yn drychineb ddwbl. Y fini fan oedd ei gludiant ac yng nghefn y fan roedd ei wely. Mini fan oedd gen i hefyd a digon o le i'r ddau ohonom ynddi, ond llwyddodd Io i gael lletty amgenach ar sawl noson. Yn y gynhadledd hon y daeth y ddau ohonom yn rhan o beirianwaith y Blaid, Io yn arbennig. Roedd Dafydd Wigley a Phil Williams newydd sefydlu grŵp ymchwil, yn bennaf i fod yn gefn i Gwynfor yn y Senedd. Trwy'r grŵp hwnnw, ac yn nes ymlaen drwy ei waith yn ymwneud â'i chyhoeddiadau, y dechreuodd Io ar ddegawdau o gyfraniad enfawr i'r Blaid. Yn y gynhadledd honno hefyd yr aeth Dan Thomas, tad yng nghyfraith Gwynfor a Thrysorydd y Blaid ar y pryd, i gymaint o hwyl wrth areithio nes i'w ddannedd gosod saethu allan o'i geg. Chynhyrfodd o ddim, daliodd ei ddannedd gosod cyn iddyn nhw gyrraedd y llawr, eu stwffio'n ôl i'w geg a dal ati i areithio fel pe na bai dim wedi digwydd.

Welodd Io na minnau mo Eisteddfod Aberafan tan y dydd Iau. Roedd hi'n pistyllio bwrw glaw ac erbyn pnawn Llun roedd tafarn y Twelve Knights ym Mhort Talbot wedi datblygu, fel y byddai rhai tafarnau bryd hynny, cyn cael bar ar y Maes, yn dafarn answyddogol yr Ŵyl. Yno roedd Eirwyn Pontsiân yn cynnal rhai o'i seiadau, daeth Cynan yno ar Ymweliad Brenhinol ac yno y daeth Dic Jones i wlychu pig ar ôl ennill y Gadair am ei awdl 'Y Cynhaeaf'. Roedd Io yn ei elfen. Yn gwmnïwr ffraeth a difyr ei hun, roedd ymhlith pobl o'r un anian. O Steddfod i Steddfod, o gêm rygbi i gêm rygbi, yn isetholiadau'r Rhondda a Chaerffili ac o un brotest Cymdeithas yr Iaith i'r llall, tyfodd ei rwydwaith o gyfeillion a chydnabod gan ymestyn i bob cwr o Gymru.

Bu Iwerddon yn goglais Io ers pan oedd yn ddim o beth. Gallai ei gweld o dir uchel Llŷn ar ddiwrnod clir ac wrth iddo aeddfedu'n wleidyddol, tyfodd ei gwrhydri'n torri'n rhydd o'r Ymerodraeth Brydeinig yn ysbrydoliaeth iddo. Io berswadiodd fi y byddai gwyliau yn Iwerddon yn llawer amgenach na diogi ar draeth yn Sbaen. Roedd Io wedi bod yno unwaith o leiaf cyn hynny, ac efo'n paciau ar ein cefnau, dyma gyrraedd Dun Laoghaire i fodio ein ffordd mor bell ag y gallen ni. Doedd hynny ddim ymhell iawn y tro hwnnw. Cyndyn oedd modurwyr i'n codi, er bod bodwyr eraill yn cael gwell lwc. Erbyn gweld, roedd y paciau enfawr ar ein cefnau, yn offer coginio a phopeth arall, yn fwgan. Erbyn y blynyddoedd wedyn, roedd ein paciau'n llawer llai a'r bodio'n llawer mwy llwyddiannus. Byddai criw ohonom yn mynd yno bob blwyddyn, cysgu hwnt ac yma, a chael ein cyfareddu.

Daeth brwydr annibyniaeth Iwerddon yn fyw i ni. Roedd cofgolofnau i gofio am y rhai fu farw wrth frwydro am eu rhyddid ym mhobman, siopau llyfrau'n llawn o lyfrau am yr hanes a'r Gwyddelod, ar ôl sylweddoli nad Almaeneg roedden ni'n ei siarad, yn ein croesawu fel cefndryd Celtaidd. Ar y pryd, roedd brwydr Cymdeithas yr Iaith dros arwyddion ffyrdd dwyieithog yn ei hanterth. Roedd pob arwydd ffordd yn Iwerddon yn ddwyieithog, er doedd dim smic o'r iaith i'w chlywed. Dyna a'n denodd i benrhyn Dingle, ym mhellafion gorllewinol Iwerddon. Ardal lle'r oedd yr Wyddeleg yn gymharol gryf.

1969, blwyddyn yr Arwisgiad oedd hi, drewdod y syrcas honno'n dal yn gryf ac yn cryfhau'r dynfa at fynd i Iwerddon yn fwy nag erioed. Roedd Io wedi cael bachiad fel gohebydd ar *Y Cymro* erbyn hynny a minnau'n fyfyriwr ymchwil mewn Economeg Amaethyddol yn Aberystwyth. Dyma benderfynu cyfuno busnes a phleser a chanfod sut roedd llywodraeth Iwerddon yn cynnal cymdeithas mor

Y car a logwyd i fynd o gwmpas
penrhyn Dingle

anghysbell. Mae Io ei hun yn sôn yn ei lyfr, *Pobol Drws Nesa*, sut y bu'r ddau ohonom yn bagio car Cortina, er mwyn arbed milltiroedd wrth gasglu gwybodaeth. Nid bod angen teithio mewn gwirionedd. Daeth yn amlwg bod y cyfan roedd angen i ni ei wybod am gymdeithas penrhyn Dingle ar gael yn nhafarn Tigh Ui Chatháin ym mhentref Baile an Fheirtéaraigh. Byddai caredigion yr iaith o bob rhan o Iwerddon yn tyrru i Baile an Fheirtéaraigh ac Ui Catháin oedd eu canolfan. Does dim rhyfedd i'r lle ddod yn gartref ysbrydol i Io a'i ddenu yn ôl yno gydol ei oes.

Yr adeg hynny, roedd gwledydd Sgandinafia'n cael eu clodfori yng nghylchoedd y Blaid ac roedd gan Io awydd rhoi cynnig ar fod yn ohebydd tramor. Roedd ganddo Forris Minor Traveller erbyn hynny. Cafodd y car ei baratoi ar gyfer teithio yn Sweden a Norwy drwy ei blastro efo bathodynnau'r Blaid a Chymdeithas yr Iaith rhag i neb ein camgymryd am Brydeinwyr.

Croesi o Hull i Gothenberg yn Sweden oedden ni a bar croesawgar iawn ar y llong. Yno, wedi cyrraedd o'n blaen, roedd pedwar myfyriwr o Brifysgol Caergrawnt, un yn Gymro o ardal y Fflint ac wedi gweld y Morris Minor roedd yn llawn cywreinrwydd. Eglurodd Io mai ar daith ymchwil oedden ni i ganfod pa wersi y gallai gwlad fel Cymru eu dysgu gan wledydd Sgandinafia.

Nid dyna ein hunig daith i wledydd Sgandinafia a dim ond un neu ddwy o deithiau gafodd Io a minnau gyda'n gilydd i Iwerddon ar ôl hynny. Gwnaeth patrwm ein bywydau newid a'n harwain i gyfeiriadau gwahanol. Ond mae cofio am yr hwyl a gafodd y ddau ohonom yn ystod y blynyddoedd heb gyfrifoldeb hynny yn dal yn bleser pur. Diolch, Io.

Ioan yn bacpacio yng Nghilarni.

Ffrindiau Manceinion: Elwyn (oedd yn ffrind ers dyddiau Botwnnog), Ioan a Dafydd

Ioan yn lansio cyfrol Philip Jones Griffiths

Gweld llais
a chlywed llun

Dafydd Wigley

Cyfarfûm â Ioan Roberts yn Hydref 1961, yng Nghlwb y Ddraig Goch, Manceinion. Roeddem ein dau newydd gychwyn yn y Brifysgol ac yn chwilio am gyd-wladwyr i gymdeithasu â hwy. Pan soniodd Ioan amdanaf wrth ei fam, cafodd ateb annisgwyl. 'Mae o'n perthyn i ti,' meddai ac roedd hi'n iawn, er na wyddem hynny ar y pryd. Flynyddoedd wedyn, eglurodd Katie, chwaer Ioan, ein bod ein dau yn ddisgynyddion i'r Parch. Michael Roberts (1780–1849), a fu'n weinidog ar Gapel Penmownt, Pwllheli o 1802 tan ei farwolaeth. Bu Ioan yng Ngholeg UWIST, Caerdydd am flwyddyn, cyn symud i astudio cwrs Peirianneg Sifil, a oedd yn fwy priodol iddo, ym Manceinion. Roeddwn innau newydd ddechrau dilyn cwrs Ffiseg yno, ein dau felly â chefndir gwyddonol, ond ein gwir ddiddordeb oedd Cymru. Cawsom ein siomi adeg wythnos glas y myfyrwyr. Roedd llawlyfr Undeb y Myfyrwyr yn nodi ar y diwedd yn ddigon swta: 'Credir bod yma hefyd Gymdeithas Gymraeg!' Hollol anfoddhaol. Ond yn fuan, cawsom ddeall y rheswm dros dranc y Gymdeithas Gymreig. Cafodd ei gwahardd rhag defnyddio eiddo'r Brifysgol, oherwydd iddi redeg y partïon mwyaf gwyllt yn y Brifysgol!

Felly, sialens gyntaf Io a minnau oedd ailsefydlu'r

Gymdeithas. Roedd rhaid canfod aelod o staff y Brifysgol i'n noddi a chwarae teg iddo, er gwaethaf profiadau'r flwyddyn flaenorol, cytunodd y Dr Glyn Tegai Hughes ein noddi. Yr ail sialens oedd canfod lleoliad i gynnal y nosweithiau cymdeithasol gan fod hanes y Welsh Soc. yn dal yn fyw iawn yn y tir! Yn y diwedd daeth Io o hyd i glwb digon amheus ei olwg, mewn selar yn un o strydoedd cefn y ddinas, lle roedd dau gyfaill i Ioan o Ysgol Botwnnog gynt yn gweithio fel bownsars! Roedd hyn yn nodweddiadol o Ioan. Byddai'n nabod rhywun ym mhob twll a chornel ac yn gallu eu denu, yn ei ffordd ddiymhongar ei hun, i'w helpu. Trefnwyd nifer o nosweithiau cymdeithasol yn y clwb, gan gynnwys ymweliad gan Helen Wyn (Tammy Jones yn ddiweddarach) a Hogia Llandegai.

Cytunwyd mai 'Welsh Soc.' fyddai'r teitl priodol, sef Cymdeithas Gymreig drwy gyfrwng y Saesneg. Roedd bryd hynny ryw dri chant o fyfyrwyr o Gymru ym Mhrifysgol Manceinion, ond prin ddau ddwsin ohonynt yn siarad Cymraeg. Felly aed ati i gynnal digwyddiadau Cymreig. Byddem yn meddiannu un o brif fariau Undeb y Myfyrwyr ar nos Sadwrn, gan forio canu caneuon Cymraeg, y geiriau ar daflenni y trefnodd Io i'w dyblygu. Daeth myfyrwyr o bobman yn gyfarwydd â geiriau 'Calon Lân' ac 'Oes Gafr Eto'! Trwy frwdfrydedd heintus Io a nifer o'i gyfeillion, cynyddwyd aelodaeth y 'Welsh Soc.' i dros ddau gant o aelodau, gan gynnwys rhai o'r India ac Affrica. Roedd llawer o Loegr, rhai'n honni bod ganddynt nain Gymreig, neu iddynt fod yn Faciwîs yng Nghymru adeg y rhyfel. Trefnwyd tripiau i'r gêmau rygbi rhyngwladol yng Nghaerdydd, Murrayfield a Thwickenham. Erbyn diwedd ein cyfnod ym Manceinion, roedd gan y Gymdeithas Gymreig dimau rygbi a phêl-droed a threfnwyd gêmau yn erbyn Cymdeithas Gymreig Prifysgol Lerpwl a Neuadd Padarn yn Aberystwyth.

Roedd gennym hyd yn oed gôr, diolch i Ioan a minnau, er bod ein galluoedd cerddorol yr un mor enbyd â'n gilydd. Yr eironi mawr oedd i'r ddau ohonom briodi telynoresau, Alwena ac Elinor. Felly hefyd ein gallu i ddawnsio – rhywbeth hanfodol yn y dyddiau hynny, gan fod dawns ar nos Sadwrn yn Undeb y Myfyrwyr yn cynnig y cyfle gorau i 'fachu bodins'. Penderfynodd Io a minnau fod angen i ni wella ein doniau yn y cyfryw gyfeiriad ac aethom am wersi dawnsio, goeliech chi byth, mewn ysgol ddawnsio yn Oxford Road, Manceinion. Ar ôl cwpwl o wersi, roedd yn amlwg i ni ein dau nad oedd y Bod Mawr wedi ein llunio ar gyfer y math yma o weithgarwch. Daeth hyn i ben pan orfodwyd ni i ddysgu'r Pasodoble – dawns boblogaidd ymhlith milwyr Sbaen. Roedd disgwyl i ni gamu'n bwrpasol, megis matadoriaid penderfynol, gan gyfri un, dau, tri, pedwar, pump, chwech, saith, wyth, fesul cam, cyn symud am yn ôl i'r cyfeiriad arall. Wrth i ni gyrraedd y chwech a'r saith edrychodd Io arnaf i a minnau arno fo. Doedd dim angen ymgynghori. Er syndod i'r dosbarth aeth y ddau ohonom ati i lafarganu 'eight, nine, ten, eleven, twelve' cyn diflannu drwy'r drws. Wnaethon ni mo'r camgymeriad wedyn o feddwl y gallem fod yn unrhyw fath o ddawnswyr!

Yn ystod y flwyddyn gyntaf honno, roeddwn yn aros yng Ngholeg y Bedyddwyr – yr unig hostel a allai gynnig lle i mi. Roeddent yn griw hwyliog, ond â phatrwm cymdeithasol braidd yn wahanol i ni! Felly, yn ystod ein hail flwyddyn yn y Brifysgol, penderfynodd Ioan a minnau rannu fflat, ynghyd â chyfaill o Abersoch, Elwyn Roberts. Cawsom fflat yn Hydref 1962 yn Whalley Range, o fewn pellter cerdded i'r Brifysgol. I gyrraedd, byddai'n rhaid mynd ar draws Moss Side, a oedd bryd hynny yn ardal Wyddelig o'r Ddinas, gyda thrigolion na fyddai'n gwrthwynebu clywed Ioan yn rhyw fwmian canu 'Hen

Leuad Wen uwchben y Byd' a byddent hyd yn oed yn ymuno ag ef yn ei ddehongliad o'r 'Mountains of Mourne'. Doedd y rhan honno o'r ddinas ddim hanner mor wyllt yn y chwedegau o'i chymharu â'r wythdegau, pan fyddai gangiau'n brwydro dros gyffuriau.

Roedd lletya efo Io yn brofiad ffurfiannol. Credaf i ni ein dau ddysgu llawer oddi wrth ein gilydd. Roedd Io yn athrylith ar farddoniaeth Gymraeg, yn adrodd ar ei gof rannau helaeth o gerddi Williams Parry a 'Mab y Bwthyn', Cynan. Roedd y gerdd honno fel petai'n cwmpasu deuoliaeth Ioan – yr Ioan dinesig a uniaethai â 'Mynd ar y jazz band' a gwrthgyferbyniad gwledig ei wreiddiau, ymhlith 'Llechweddau'r Grug' yn Llŷn.

Roedd Ioan hefyd yn ffynhonnell gwybodaeth eithriadol am hanes Iwerddon, a barddoniaeth Yates. Roedd yn agoriad llygaid i mi; dysgais lawer ganddo. Fy nghyfraniad innau oedd gwleidyddiaeth Cymru. Roedd Io yn ei hanfod yn genedlaetholwr, ond roedd wedi ei fagu yn Llŷn, lle'r oedd, bryd hynny, gefnogaeth eang ymhlith gwerin gwlad i'r Blaid Lafur ac i Goronwy Roberts, yr AS lleol. Crëwyd a chynhaliwyd hyn i raddau drwy waith addysgol y WEA a thrwy ddylanwad arweinyddion lleol, megis John Morris, prifathro ysgol Aberdaron, un â pharch aruthrol iddo ym Mhen Llŷn, a byddent yn derbyn ei arweiniad sosialaidd a'i Gymreictod. Bu farw ym 1977, wrth geisio, yn aflwyddiannus, achub bachgen deng mlwydd oed rhag boddi yn y môr: arwr yng ngwir ystyr y gair.

Daeth Ioan yn fuan i dderbyn bod yn rhaid wrth genedlaetholdeb wleidyddol Gymreig cyn y gallai'r gymuned Gymraeg a'i gwerthoedd cymdeithasol oroesi. O ble deuai'r gobaith am waith a thai i'r lluoedd o bobl ifanc nad oedd cyfle iddynt gael gwaith mewn chwarel, fferm nac ar y môr bellach yn eu broydd?

Yn Chwefror 1963 protestiodd Owain Williams drwy

ffrwydro bom ar safle adeiladu argae Tryweryn, gan niweidio tyrbein yno. Trwy Ioan, roeddwn wedi cyfarfod â Now Gwynus yn ei gaffi Espresso ym Mhwllheli. Bu llawer o drafod yn ein fflat ynglŷn â defnyddio dulliau anghyfansoddiadol i ennill annibyniaeth. Roedd trwch ein cenhedlaeth yn dechrau gofyn pam aflwydd nad oedd unrhyw statws i'r iaith Gymraeg, na hawliau i'w siaradwyr. Yn bersonol, roeddwn yn argyhoeddedig mai dulliau cyfansoddiadol oedd yr unig ffordd at hunanlywodraeth yng Nghymru. Trefnais i Emrys Roberts, a weithiai ym mhencadlys y Blaid, ddod i annerch y 'Welsh Soc.' a hefyd i gynnal cyfarfod y tu allan i'r Brifysgol, er mwyn creu cangen o'r Blaid ar gyfer Cymry'r ddinas, gan nad oedd cangen yn bodoli. Y cyfan o gymorth a gafodd Io a minnau oedd rhestr foel o enwau a chyfeiriadau rhai a fu rywdro yn aelodau. Aethom ati i gerdded strydoedd y ddinas yn cribinio'r lle am aelodau potensial ar gyfer y gangen newydd. Cofiaf guro un drws, gan ofyn a oedd – dyweder – Mr Gwyn Edwards yn byw yno; 'Eh, lad, there's nowt ere with that name', meddai'r ddynes a atebodd y drws. Yna daeth llais ei gŵr o'r cefn, 'Wasn't that t' lad from Wales who stayed in digs 'ere before t' war?' Sialens, yn wir!

Roedd Ioan, fel finnau, yn dilyn pêl-droed mwy na rygbi. Byddai'n fy swyno wrth sôn ei fod yn nabod y brodyr Griffiths, Abersoch – Wil, Ieuan a Moss – a fu'n serennu ar feysydd pêl-droed Gogledd Cymru yn y pumdegau. Roeddwn innau'n brolio fy mod wedi chwarae yn yr un tîm â Wyn Davies – un gêm yn ail dîm Caernarfon! Felly, pan drosglwyddwyd Wyn o Wrecsam i Bolton Wanderers, yn yr Uwch Adran, roeddem dan ddyletswydd i hel ein traed i Burnden Park i weiddi dros Wyn. Roeddem yno efo'n baner Draig Goch ar gyfer ei gêm gyntaf, yn sefyll y tu ôl i'r gôl y byddai Wyn yn ymosod arni. Ar hanner amser, tybiem y gallem symud y tu ôl i'r gôl yr ochr draw, fel y byddai'r llafnau ifanc ar yr Oval yng Nghaernarfon a'r 'Rec' ym Mhwllheli yn gwneud. Wrth i ni geisio gweithio ein ffordd ar hyd ochr y cae, glaniodd plismon mawr arnom, gan ein tywys yn fygythiol gerfydd ein gwarrau, yn ôl i'r teras lle daethom.

Nid dyna'r tro olaf i Io gael trafferth efo plismyn, gyda llaw. Ar un achlysur, roeddem wedi mynd i noson o ddawnsio a chanu yn y Llew Coch, Dinas Mawddwy. Roedd y lle dan ei sang, a phob tocyn wedi ei werthu. Rywsut sleifiodd Ioan i mewn drwy ffenast y toiled. Yn anffodus, roedd plisman mawr y pentref yno i gadw trefn. Daliodd Io gan ei lusgo allan. Roedd wedi sylwi fod y ddau ohonom wedi cyrraedd gyda'n gilydd. Taflodd Io tuag ataf, gyda'r ebychiad, 'Chi pia hwn?!' Wrth i'r heddwas droi'n ôl am y ddawns, mynegodd Io ei farn mewn goslef braidd yn rhy uchel, 'Hen fastad, hen blismon!' Clywodd yr heddwas ei eiriau a bu'n rhaid i ni ei heglu hi nerth ein traed oddi yno.

Er nad oedd Io yn chwaraewr pêl-droed, roedd yn gerddwr o fri. Bryd hynny, byddai'r Brifysgol yn codi arian i elusennau bob blwyddyn, trwy drefnu cystadleuaeth gerdded o Fanceinion i Lancaster – pellter o hanner can milltir. Aeth Io a minnau ati, ond erbyn cyrraedd Preston, wedi rhyw ddeng milltir ar hugain o gerdded, roedd fy nhraed yn swigod i gyd. Bu'n rhaid i mi ildio a dal bws nôl i Fanceinion. Cwblhaodd Io y daith, gan ennill tei 'Bogle Stroll' gan Undeb y Brifysgol, symbol o statws arbennig ymhlith y myfyrwyr, un na chefais glywed y diwedd amdani.

Rhwng y myfyrwyr a Chymry'r Ddinas roeddem yn griw hynod. Byddem yn ffyddlon mewn Capel Cymraeg, bob bore Sul pan allem godi. Yn gyntaf yng nghapel Gore Street y Wesleaid ble roedd y Parch. Baldwyn Pugh yn weinidog – cymeriad annwyl dros ben, a chenedlaetholwr tanbaid, ond, yn anffodus, fe gaewyd y Capel tra oeddem yn y Coleg. Adeilad yr undeb oedd ffocws ein bywyd cymdeithasol a gwleidyddol. Câi gwleidyddiaeth y myfyrwyr ei gymryd o ddifri bryd hynny. Yn ystod ein hail flwyddyn, David Clark oedd ein Llywydd a daeth yn AS Llafur, yn weinidog yn Llywodraeth Blair, ac mae bellach yn gyfaill da i mi yn Nhŷ'r Arglwyddi.

Cyfnod taflegrau Ciwba oedd hi bryd hynny a bu Io a minnau mewn 'gwylnos' yn Sgwâr Albert y ddinas, yn disgwyl i arfau niwclear ein llosgi'n yfflon unrhyw funud. Eiliad sobr iawn a diolch i Kruschev am arddel mwy o synnwyr cyffredin na Kennedy. Ers hynny bûm yn Aelod o CND. Ond rebals Cymraeg oedden ni, yn chwarae y tu allan i'r drefn. Ar un achlysur cefais fy herio gan Io i danseilio cyfarfod parchus, lle roedd cannoedd o fyfyrwyr yn gwrando ar yr Iarll Sandwich, un a oedd am ddiwygio'r Tŷ Arglwyddi, chwarae teg iddo, a rhoi terfyn ar y teitlau crand etifeddol, fel ei deitl yntau. 'Beta i beint i ti na fedri di gael y Neuadd i chwerthin ar ei ben ...' meddai Io, na hidiai lawer am aelodau'r sefydliad Seisnig, llai fyth aelodau o Dŷ'r Arglwyddi. Derbyniais y bet; ac ar ôl gwrando ar lith sych am hanner awr, dyna'r cyfle i ofyn cwestiwn. 'Mr Sandwich ...' dechreuais a doedd dim angen deud mwy. Torrwyd ar naws uchel-ael y cyfarfod, wrth i'r stiwdants rolio chwerthin a'r creadur etifeddol yn fflowndro wrth geisio ail-greu awyrgylch sobr y cyfarfod. Derbyniais fy mheint!

Bu pris i'w dalu am yr ail flwyddyn honno a fu'n gymdeithasol lwyddiannus ond yn academaidd drychinebus. Collodd Ioan ei le yn y Brifysgol a bu'n rhaid i minnau ddilyn cwrs llai uchelgeisiol na'r un yr oeddwn wedi anelu amdano. Cafodd Ioan waith ym Manceinion am sbel, ond roeddwn innau wedi sylweddoli, os oeddwn am ennill gradd, y byddai'n rhaid symud o'r fflat a byw mewn Neuadd barchus, gan godi bob bore mewn da bryd ar gyfer darlith naw o'r gloch a chyfyngu'r miri i nosweithiau Sadwrn. Ond, roedd y cyfeillgarwch efo Ioan wedi gwreiddio a byddem yn dal i gadw cysylltiad ar ôl i mi raddio a chael gwaith ym myd diwydiant yn Llundain. Yn y diwedd trodd at ei wir ddiléit, sef ysgrifennu. Bûm yn aros droeon gydag ef yng Nghrugion, ger y Trallwm, pan oedd yn gweithio i'r *Cymro* yng Nghroesoswallt.

Roedd cyfraniad Ioan i'r *Cymro* yn sylweddol, oherwydd ei ddealltwriaeth o Wleidyddiaeth ac o Gymru, ynghyd â'r cysylltiadau niferus oedd ganddo ym myd gwleidyddol a chenedlaethol Cymru. O ganlyniad gallai ddod o hyd i storïau, a gallai yn reddfol ganfod sylwedd ac arwyddocâd straeon. Roedd ei erthyglau yn *Y Cymro* yn ddarllen hanfodol i mi ac i eraill yn y byd gwleidyddol. Rhaid canmol Ioan am fod mor gytbwys wrth ysgrifennu i'r *Cymro*. Gallai ganfod llwyfan ar gyfer ei safbwyntiau mwy eithafol drwy ysgrifennu o dan ffugenw John Probert i bapurau eraill ac os deallaf yn iawn, o dan fwy nag un ffugenw yn ystod yr un cyfnod! Dwi'n credu 'mod i'n iawn yn deud iddo, ar un adeg, gynnal dadl ag ef ei hun, dan wahanol enwau, yng ngholofnau 'llythyrau darllenwyr' un papur lleol yng Nghymru!

Ym 1966, buom gyda'n partneriaid draw yn Nulyn yn dathlu hanner canmlwyddiant Gwrthryfel y Pasg ac yn aros yn yr un lle Gwely a Brecwast â Wil Sam, cyfaill mawr i Ioan – y ddau â'r un hiwmor iach a'r un dirmyg tuag at sefydliadau. Daeth Elinor i nabod Ioan yn llawer gwell yn ystod y gwyliau hynny, a sylweddoli fod ganddo feddwl praff, dyfnder argyhoeddiad a'r gallu i feithrin safbwyntiau unigryw, gan weld y byd drwy lygaid gwahanol i'r rhelyw. Roedd Iwerddon yn agos at galon Ioan weddill ei ddyddiau.

Daeth yn ffrind mynwesol i Bertie Ahern, Prif Weinidog y Weriniaeth tan 2000. Bu Elinor a minnau draw i Ddulyn efo Ioan i'w gyfarfod, ac yn amlwg, roedd y Taoiseach yn meddwl y byd o Ioan ac i raddau, drwy lygaid Io yr oedd yn edrych ar Gymru a'i rhagolygon. Bu'r cysylltiad hwn o werth ymarferol i mi yn fy ngwaith seneddol. Roedd Ioan yn gallu cymdeithasu â phawb – o'r gwerinwr yng nghefn gwlad Llŷn i Brif Weinidog yn Nulyn. Gallai weld cryfderau pobl. Bu'n gyfeillgar iawn, er gwaethaf y gwahaniaeth gwleidyddol, â Kim Howells pan fu'n byw yn ei etholaeth. Byddai bob amser yn brolio y diweddar Gwilym Owen, a fu'n rheolwr arno yn ystod ei gyfnod fel golygydd *Y Dydd* ar HTV – gan warchod enw da Gwilym pan fyddai cenedlaetholwyr yn ei weld fel cythraul mewn croen. 'Bu bob amsar yn gwbl deg efo fi,' fyddai ateb Ioan, gan gyfeirio at safonau proffesiynol a gwrthrychol Gwilym yn ei holl waith.

Roedd gan Io ffrindiau drwy'r byd Celtaidd ac yn arbennig felly yn Iwerddon a'r Alban. Mae llu o straeon, rhai yn fwy gweddus na'i gilydd, yn codi o'r cysylltiadau hynny. Cyfeiriaf at un a ymddangosodd yn fy nghyfrol *O Ddifri*, sydd yn werth ei hailadrodd. Roedd Cynhadledd Flynyddol y Blaid, ym 1965, ym Machynlleth. Gwestai arbennig yno oedd hen gyfaill i mi, Gordon Wilson a oedd bryd hynny'n Ysgrifennydd Cenedlaethol Mygedol yr SNP ac wedyn yn AS gyda mi yn San Steffan. Wrth i Gordon, Ioan a minnau sgwrsio dros ddiod ar ddiwedd y dydd, dyma Io yn datgan: 'You know, Gordon, you're only the second live Scottish Nationalist I've ever met! The first was a lovely girl I met in Ireland hitch-hiking a couple of years ago. We had a lot of fun. Her name, I think, was Edith Hassall.' Ar y pwynt yma tywyllodd wyneb Gordon. Meddai yn dawel a phwrpasol, a pheth cryndod yn ei lais, 'She's my wife!' Newidiwyd testun y sgwrs yn fuan iawn!

Cyfaill y bu'r ddau ohonom yn ei edmygu oedd y ffotograffydd newyddiadurol, Philip Jones Griffiths – yn enedigol o Ruddlan, oedd erbyn hynny'n byw yn Efrog Newydd. Dyma'r dyn sy'n cael ei gydnabod fel y sawl a ddylanwadodd, drwy ei luniau graffig o ddioddefaint Vietnam, ar fyfyrwyr campws prifysgolion America i wrthryfela ac oherwydd hynny, bu'n rhaid dirwyn y rhyfel dinistriol a chreulon hwnnw i ben. Roedd Ioan bob amser yn parchu'r gosodiad fod un llun da yn deud llawer mwy na mil o eiriau. Felly, pan gafodd gyfle i gyfweld PJG yn ei fflat yn Efrog Newydd, ar ran y rhaglen *Hel Straeon*, manteisiodd ar y cyfle i osod sylfeini ei gyfrol hynod, *Philip Jones Griffiths – Ei Fywyd a'i Luniau*. Rwyf yn eithriadol ddiolchgar i Ioan am gyflawni'r gymwynas hon i'r genedl. Bûm innau'n ymlafnio am flynyddoedd, fel Llywydd y Llyfrgell Genedlaethol, yn ceisio sicrhau y byddai archif Philip, ynghyd â channoedd o filoedd o luniau a dynnwyd ganddo, yn cael cartref parhaol yn archif ffilm a sain y Llyfrgell yn Aberystwyth. Heb gysylltiad Ioan, ni fyddwn wedi llwyddo i warchod yr etifeddiaeth hynod hon ar dir Cymru, gan fod eraill, yn Llundain, Paris ac Efrog Newydd, yn torri eu boliau am gael y casgliad i'w meddiant. Nid dyma'r unig gymwynas a wnaeth Ioan â'r Llyfrgell. Roedd yn meddwl y byd o waith y diweddar Geoff Charles a fu'n ffotograffydd i'r *Cymro* am ddegawdau. Roedd gan Ioan y gallu i glywed neges mewn llun na fyddai'n amlwg i'r rhelyw ohonom. Gallai werthfawrogi paham y tynnwyd y lluniau, beth oedd eu harwyddocâd ar y pryd a'u neges i'r genedl neu'r byd, heddiw ac yfory. Aeth Ioan ati i gyhoeddi yn y Gymraeg gasgliad o waith Geoff Charles, ac ychydig fisoedd cyn marw Ioan, gyfrol yn y Saesneg *Geoff Charles: Wales and the Borders*.

Hoffwn hefyd gyfeirio at fy nyled aruthrol innau i Ioan, am ei gyfraniad i'r pedwar llyfr a ysgrifennais dros y blynyddoedd ac yn arbennig i'r gyfrol *Maen i'r Wal*. Dywedais wrtho fy mod angen ei help er mwyn cael y geiriau i lifo a sicrhau bod y gystrawen yn gywir, ond, mewn gwirionedd, roeddwn yn troi at Io am lawer mwy na hynny. Oherwydd bod ei farn wleidyddol mor ddibynadwy, roedd yn deall y Gymru oedd ohoni a sut roedd cyflwyno neges a fyddai'n taro deuddeg. Byddai'n chwilio am fwy na phregeth, roedd yn chwilota am stori. Wedi iddo roi cymorth efo'r gyfrol *Maen i'r Wal*, wrth gyfeirio at hanes ennill Refferendwm 1997, dywedodd. 'Roedd honna'n glincar o bennod.' Ni allwn fod wedi cael gwell canmoliaeth petai wedi dod oddi wrth Gwynfor Evans ei hun! Barn Io oedd safon aur ein llenyddiaeth gyfoes o safbwynt deud stori. Y grefft o ddeud y pethau pwysicaf, yn yr arddull mwyaf di-lol y gallai darllenwr ei ddarllen, ei fwynhau a'i werthfawrogi. Roedd y stori bob amser yn bwysicach na'r geiriau er mai'r geiriau oedd yr injan dawel a disylw i gynnal y stori.

Ym marn llawer *Hel Straeon* oedd y peth gorau a ddarlledwyd gan S4C ac roedd yn gyfan gwbl annealladwy paham y daeth y gyfres i ben. Fel y Golygydd, roedd dylanwad mawr gan Ioan ar y gyfres, oherwydd gwyddai beth fyddai'n apelio at werin gwlad, hyd yn oed os nad oedd yn plesio'r deallusion yng Nghaerdydd a Llundain. Ni fu plesio dosbarth canol Caerdydd erioed yn uchel iawn ar agenda bersonol Io! Ei gynulleidfa a barchai, nid y gwybodusion. Gallai Ioan droi llais yn llun a gallai gyfleu lluniau mewn geiriau gan gydblethu'r ddau yn ddisylw. Dyna i chi chwip o gamp!

Bu Ioan yn un o olygyddion mwyaf praff llenyddiaeth Plaid Cymru, yn y ddwy iaith – ar lefel genedlaethol gyda'r *Ddraig Goch* a'r *Welsh Nation* ac yn yr etholaethau lle trigai. Roedd yn byw ym Mhontypridd adeg isetholiad 1989, ac un o'r rhesymau i Syd Morgan gael canlyniad arbennig o dda oedd safon y taflenni a phamffledi, diolch i Ioan. Yna, ar ôl dychwelyd i Bwllheli, cawsom gyfraniadau aruthrol ganddo i lenyddiaeth etholiadol Caernarfon, pan oeddwn i'n ymgeisydd, yna Hywel Williams, Alun Ffred Jones a Liz Saville Roberts yn ddiweddarach.

Ymhyfrydai Ioan yng ngrym geiriau. Pan ganfu yr hen air am 'drydydd cefnder', sef 'Caifn', addewais iddo y byddwn yn chwilio am bob cyfle i ddefnyddio'r gair a chafodd bleser arbennig pan glywodd fod yr hen chwarelwyr yn ardal Dinorwig yn defnyddio'r gair yn ystod y ganrif ddiwethaf. Soniwyd wrthyf gan un o'r ardal, sut y byddent yn cyfarch ei gilydd 'Sut wyt ti, yr hen gaifn?'

Y tro olaf i mi gael cwmni Ioan oedd ychydig cyn y Nadolig, 2019, pan ddaeth ef ac Alwena acw gydag Osborn a Glesni Jones, Llandwrog, a fu'n ffrindiau i ni ein dau ers bore oes. Roedd Ioan braidd yn dawel, ond ei feddwl mor finiog a threiddgar ag erioed. Ychydig a feddyliais mai dyna'r sgwrs olaf a gaem, heb i ni gael cyfle i bwyso a mesur hyd a lled Boris Johnson a'i griw.

Roedd y cyfarfod hwnnw yng Nghlwb y Ddraig Goch, Manceinion, ym 1961, yn un o'r digwyddiadau hynny a newidiodd batrwm, siâp a sylwedd fy mywyd. Dwi ddim yn sicr a fyddai'r hen daid, Mical, wedi gwerthfawrogi popeth a rannodd Ioan a minnau ar hyd y daith, ond rwyf yn gwbl sicr y byddai wedi clodfori i'r entrychion gyfraniad Ioan i achos Cymru. Diolch amdano, a gwn y bydd ei etifeddiaeth yn ddiogel yn nwylo ei deulu, ei gymuned a'i genedl. Ie, un o gymwynaswyr mawr yr iaith Gymraeg yn ein cyfnod ni.

Dyddiau hwyliog ym Maes y Llan

Des a Helen

Diwedd haf 1967 y cwrddais â Ioan am y tro cyntaf. Roeddwn ar ddechrau gyrfa fel athro yn Ysgol Uwchradd y Trallwng ac yn chwilio am lety. Fe'm cynghorwyd i gysylltu â Ioan a oedd yn byw yn 1 Maes y Llan ar dir fferm Criggion Hall, ychydig filltiroedd o'r Trallwng. Adeiladwyd y tŷ yn wreiddiol ynghyd â 2 Maes y Llan, drws nesaf, fel cartrefi i weision y fferm. Rhannai Ioan y tŷ gyda Peter Cross, brodor o Benarth a oedd yn athro Cymraeg yn Ysgol Uwchradd y Trallwng. Drwy haelioni Ioan cefais wahoddiad i gysgu ar lawr 1 Maes y Llan nes y dôi rhif 2 yn rhydd i mi symud yno cyn y Nadolig. A dyna a fu, yn dilyn cytuno ar delerau gyda John Hughes, perchennog y fferm, a oedd yn Ynad Heddwch a Chynghorydd Sir dylanwadol. Yn fuan wedyn symudodd Mel John, ffrind ysgol o Fynachlog-ddu i fyw gyda ni a daeth Maes y Llan yn 'ynys o Gymreictod mewn môr o Seisnigrwydd i dri hwntw a finna', chwedl Io Mo.

Roedd Io yn awyddus i ddangos holl ogoniannau Maldwyn i mi ac o fewn dim fe'm cyflwynwyd i fywyd cymdeithasol a diwylliannol prysur y sir. Yn ei gwmni cefais flas ar fynychu amrywiol weithgareddau Plaid

Ar bont a gynlluniwyd ganddo yn Sir Drefaldwyn

Cymru, Yr Urdd, Cymdeithas Gymraeg y Trallwng, y Capel Cymraeg, darlithoedd yng Ngregynog, eisteddfodau, dramâu, a thwmpathau dawns. Er nad oedd Io na minnau yn meddu ar ddoniau dawnsio, mynnai fod teithio ar nos Sadwrn i Lansilin, Llanfyllin, Llanbrynmair neu Lanerfyl, i gyfarfod a sgwrsio yn hytrach na dawnsio, yn fodd inni ddangos ein cefnogaeth i weithgaredd a drefnwyd, gan sicrhau bod ieuenctid Maldwyn yn mwynhau nos Sadwrn yn eu cynefin, yn hytrach na theithio i Groesoswallt neu Amwythig. Roedd mannau eraill ar amserlen wythnosol Io hefyd – yr *Hand and Diamond* yn Crew Green, yr *Admiral Rodney* yn Crugion a'r *Royal Oak* yn y Trallwng a weithredai fel cartref y Clwb Rygbi ar y pryd.

Tua chanol y chwedegau dechreuodd ychydig o Gymry gwrdd bob nos Fawrth yn yr *Hand and Diamond*, tafarn ar y ffin rhwng Cymru a Lloegr ond, yn ôl Io, 'ar ochr iawn Clawdd Offa'. Criw cymysg iawn o ran gwaith a gwreiddiau oedd selogion yr *Hand and Diamond*, ond dyna atyniad bob nos Fawrth i Io, cyfle i sgwrsio â phobl o wahanol feysydd a chefndiroedd a gorau oll pe byddai ganddynt hanesion amheus neu straeon trwstan. Ymhlith y cwmni difyr byddai Gwyn Griffiths, Glyn Evans a William Owen – newyddiadurwyr *Y Cymro*, Pete Cross – athro, Mel John – gweithio i Gwmni Bwydydd Anifeiliaid, ac weithiau byddai ymwelwyr o ardal ehangach yn galw heibio fel Elfed Lewys – gweinidog a chanwr gwerin, yn ogystal ag ambell aelod o Aelwyd Penllys.

Yn dilyn un noson hwyliog ac Elfed a chriw Penllys wedi ymateb yn ogoneddus i alwad arferol Io ar ddiwedd y noson – 'beth am gân fach cyn 'madal?' penderfynodd rhai o'r ymwelwyr ysbeidiol symud hen Austin 7 oedd ym maes parcio'r dafarn a'i osod ar draws y ffordd a gysylltai siroedd Maldwyn ac Amwythig. Bwriad y weithred, mae'n debyg, oedd atal y llif Saeson i mewn i Gymru ond anodd, yn ôl Io, oedd mesur llwyddiant y weithred a ddigwyddodd ar ffordd anghysbell ger Clawdd Offa ynghanol gaeaf! Beth bynnag, gwaharddwyd criw Maes y Llan o'r dafarn, ond nid am hir, diolch i sgiliau diplomataidd Ioan, nodwedd na chysylltid ag ef yn aml! Llwyddodd i achub ein cam a pherswadio'r tafarnwr blin mai rhyw fechgyn anystywallt o dopiau Maldwyn oedd yn gyfrifol am symud yr Austin 7. Cafwyd maddeuant ac fe'n croesawyd yn ôl i'r dafarn.

Bu bron i ni gael ein gwahardd o'r *Hand and Diamond* am yr eildro. Roedd y chwedegau yn adeg gythryblus yn gymdeithasol ac yn wleidyddol yng Nghymru. Dyma gyfnod sefydlu Cymdeithas yr Iaith, protestiadau yn ymwneud â Thryweryn a Llyn Fyrnwy, ymgyrchoedd yr iaith a'r Arwisgo. Credai Ioan fod aelodau'r Heddlu Cudd, oedd â'u pencadlys yn Amwythig yn ôl sïon lleol, yn cadw llygaid barcud ar symudiadau rhai o Gymry pybyr Maldwyn ac yn enwedig rhai oedd â chysylltiad ag 'eithafwyr' y cyfnod. Roedd Ioan yn amau bod un ohonynt yn ymwelydd cyson â'r dafarn ac un nos Fawrth penderfynodd wynebu'r plismon honedig. Roedd hwnnw yn sefyll wrth y bar a dyma Io yn crychu ei drwyn – arwydd pendant nad oedd pethe'n plesio, ac yn cerdded tuag ato a'i gyfarch gyda'r geiriau, 'sut mae Cŵd', gan daflu dwrn i gyfeiriad ei fol sylweddol ar yr un pryd. Trwy lwc trodd y plismon honedig ar ei sodlau gan anelu am ddrws ffrynt y dafarn a diflannodd Io i'r tŷ bach. Pan ddychwelodd Io, esboniwyd nad oedd croeso mwyach i ni yn y dafarn ac fe'n gorchmynnwyd i adael, ond dyma Io yn esbonio i'r tafarnwr pwy oedd y gŵr a adawodd yn sydyn a beth oedd ei amcanion wrth ymweld â'r dafarn bob nos Fawrth. Cafwyd maddeuant, unwaith eto, a chroeso i barhau â'r seiat.

Roedd Io yn llawn direidi ac wrth ei fodd yn tynnu coes neu'n chwarae ambell dric ar ei gyfeillion. Cofiaf dderbyn llythyr yn fy llongyfarch ar gael fy nerbyn i ganu yng Nghôr yr Arwisgo ac ymateb swta Io i'r newyddion oedd, 'O lwcus iawn'. Ymhen rhai wythnosau derbyniais amlen a gwybodaeth y tu mewn am leoliadau ac amserau yr holl ymarferion yn ogystal â chopïau o'r darnau cerdd i'w dysgu a oedd yn cynnwys 'Rhapsody for a Prince'. Nid tan imi dderbyn rhestr trefniadau'r dydd a thocyn mynediad i Gastell Caernarfon y cyfaddefodd Io mai fe oedd yn gyfrifol. Roedd wedi anfon ffurflen gais at drefnyddion Côr yr Arwisgo yn rhestru fy noniau cerddorol, yn ymhyfrydu fy mod yn aelod ffyddlon a gwerthfawr o gôr lleol, yn ogystal â bod yn organydd a chodwr canu yn Eglwys Criggion, ffeithiau hollol ffug a dychmygol wrth gwrs. Afraid dweud na fues i'n agos i'r un ymarfer ac na ddefnyddiwyd y tocyn mynediad chwaith i Gastell Caernarfon ar Orffennaf 1af, 1969. Ond rhaid crybwyll bod Io yn bresennol fel gohebydd *Y Cymro*, er rhaid pwysleisio mai un anfoddog iawn a gymerodd ei sedd yn y castell y diwrnod hwnnw.

Cofiaf dro arall i mi gyrraedd adre ym Maes y Llan yng

nghwmni Io yn hwyr y nos a chanfod Pete Cross yn cysgu'n drwm mewn cadair freichiau o flaen y tân a'i law yn dal ei ben i fyny. Awgrymodd Io bod angen tocio ychydig ar wallt Pete a dyma fynd ati i dorri cymaint o'i wallt ag y medrem gan ddefnyddio'r siswrn yn hynod ofalus wrth i ni dorri rhwng bysedd ei law, gan fod y rheiny yn ein hatal rhag torri ei wallt ar un ochr i'w ben. Cyn noswylio gosodwyd y gwallt a dorrwyd yn ddiogel yn un o 'sgidie Pete. Yn gynnar bore drannoeth clywyd bloedd o'r ystafell ymolchi wrth i Pete weld ei hun yn y drych. Roedd wedi gwylltio'n llwyr wrth gredu ei fod wedi dechrau colli ei wallt dros nos a dim ond ar ôl darganfod y gwallt colledig yn ei esgid y sylweddolodd mai tric oedd y cwbl. Mynnodd ymweld â siop y barbwr yn y Trallwng cyn mynd i'r ysgol y bore wedyn a gofyn i'r barbwr siafio'i ben yn llwyr – gweithred a ysgogodd sawl sgwrs ddiddorol unwaith y cyrhaeddodd yr ysgol.

Galwai Io yn aml gyda'i gyfaill Colin, cydweithiwr iddo yng Nghyngor Bwrdeistref Amwythig. Roedd croeso mawr i ymwelwyr ar aelwyd Colin a Mary Mathews yn Montford Bridge ger Amwythig a mwy fyth yn sied Colin yn yr ardd gefn. Gweithredai'r sied fel bragdy, siop gwerthu dillad dynion ac argraffdy yn cynhyrchu posteri a thocynnau i wahanol fudiadau, gan gynnwys canghennau Plaid Cymru Sir Drefaldwyn. Roedd Colin yn arbenigwr ar fragu cwrw a chynhyrchai amrywiaeth eang o winoedd cartref a byddai wrth ei fodd yn ein gwahodd i'r sied i flasu ambell ddiferyn o'i gynnyrch dansheris. Byddai cyfuniad o'i frwdfrydedd heintus am gynhyrchu gwinoedd gwahanol, a'i awydd i rannu ffrwyth ei lafur gyda ni, yn ogystal â gwres tanbaid y stôf losgi coed yn y gornel, yn sicrhau bod y gyfeillach wastad yn felys iawn yn y sied.

Gŵr hynaws a chymwynasgar oedd Io. Roedd yn berchen ar Morris Traveller, cerbyd a allai gario llwyth go lew wrth blygu'r seddau cefn i lawr. Cofiaf ei helpu unwaith i symud harmoniwm a brynwyd gan Gwyn a Gwen Griffiths yn Rhosllannerchrugog i'w cartref yn y Pant ger Llanymynech. Roedd nifer o dafarnau rhwng y Rhos a'r Pant ac yn anffodus mynnodd Gwyn ein bod yn ymweld â'r mwyafrif ohonynt fel y gallai ddangos ei werthfawrogiad o'r gymwynas. Rhaid oedd galw hyd yn oed yn nhafarn y *Cross Guns*, rhyw ganllath o ddrws ffrynt ei dŷ, a dyna lle y cofiodd fod Gwen wedi paratoi swper ar ein cyfer. Wrth ymbil am faddeuant, ni fu ymdrech Io i chwarae ychydig nodau ar yr harmoniwm ar y palmant, cyn ei gario i'r tŷ yn fawr o gymorth i dawelu pregeth flin Gwen. Offeryn cerdd arall a gâi ei gludo weithiau yng nghefn y Morris Traveller oedd telyn deires Nansi Richards, Pen-y-bont Fawr. Byddai Io yn ei hystyried hi'n fraint arbennig cael cludo Nansi i ambell gyhoeddiad yn Sir Drefaldwyn ac weithiau i Gaerdydd hyd yn oed. Ychydig a wyddai ar y pryd y byddai cario telyn Nansi o gwmpas Maldwyn yn ymarfer buddiol iddo ar gyfer y dyfodol, wedi iddo gyfarfod ag Alwena.

Ond nid offerynnau cerdd a chelfi yn unig a gludwyd yng nghefn y Morris Traveller. Un noson wrth deithio gatre o Amwythig daethom ar draws polyn concrit du a gwyn a chylch o lygaid gwydr yn sgleinio yng ngolau'r car, yn gorwedd wrth ymyl y ffordd. Penderfynwyd codi'r polyn concrit, a fu unwaith yn sefyll yn syth fel rhybudd bod yno droad cas, a'i gludo i Faes y Llan a'i osod yng ngwely Pete Cross a oedd i ffwrdd am y penwythnos. Enwyd y lojar newydd yn Henrieta ond pan ddychwelodd Pete i'w ystafell wely ni werthfawrogwyd ein hymgais gan fod cymar ganddo ac felly fe dreuliodd Henrieta weddill ei hoes yn y sied lo wrth ymyl y tŷ.

Er i mi symud i fyw i bentref Cegidfa ar ôl priodi Helen yng Ngorffennaf 1969 ac yna nôl i Sir Benfro yn 1972 parhau wnaeth y cysylltiad â Ioan. Datblygodd ein cyfeillgarwch ar deithiau i'r Alban, Llydaw ac Iwerddon heb anghofio ei ymweliadau e â Sir Benfro ar drywydd storïau i'r *Cymro* ac yn ddiweddarach ar gyfer *Hel Straeon*. Y tro olaf i Io ac Alwena aros gyda ni yn Sir Benfro oedd ym mis Hydref, 2018. Yn ystod y penwythnos hwnnw bu Alwena yng nghyfarfod blynyddol Cymdeithas Cerdd Dant Cymru a gynhaliwyd yng Nghrymych, tra bu Ioan yng Nghynhadledd Plaid Cymru a gynhaliwyd yn Aberteifi ac fel arfer cafwyd amser difyr iawn yn eu cwmni. Cyn ymadael gofynnwyd i Ioan a fyddai cystal â llofnodi ei gofiant i Philip Jones Griffiths oedd newydd ei gyhoeddi. Ysgrifennodd y tu mewn i'r clawr: 'I Des a Helen, diolch am hanner can mlynedd (hyd yma!) o gyfeillgarwch – Io'.

Bellach ein tro ni yw diolch am gael ei adnabod.

Y *canfaswr cydwybodol*

Gareth Williams

Rhyw gyfnod o hel meddyliau a dadansoddi yw dechrau blwyddyn i mi. Dylanwad fy hen gymydog R.S. Thomas efallai. Byddai o'n siŵr o alw ar drothwy'r flwyddyn ac yn ddi-feth, byddai cyflwr y genedl ar agenda answyddogol ei ymweliad. Ambell flwyddyn, y colledion na allwn ni eu fforddio fyddai'n peri chwithdod iddo. Beth fuasai ganddo i'w ddweud eleni tybed a ninnau wedi colli Ioan Roberts a Chymry blaengar eraill o fewn cwta bythefnos?

Ioan Roberts, neu Io Mo, fyddai'n arfer dychwelyd i Lŷn o'i lety yng nghyffiniau Croesoswallt bob cyfle rhwng 1966 ac 1968, i fynd â chriw ohonom, aelodau ifanc Plaid Cymru, o gwmpas i ganfasio, wedi ein gwasgu i'w fan mini. Nefyn a Morfa Nefyn un Sadwrn, Tudweiliog, Rhoshirwaun ac Aberdaron y Sadwrn canlynol; ymlaen felly yr âi'r gylchdaith hyd nes y byddai'n dro Nefyn a Morfa Nefyn drachefn. Canfasio pan nad oedd yna sôn am lecsiwn wrth gwrs, ond dwi'n argyhoeddedig mai'r ymdrech wirfoddol ac arwrol honno fraenarodd y tir i Robyn Lewis yn etholiad cyffredinol 1970 ac i Dafydd Wigley ym 1974. Drwy ei gysylltiad â'r *Cymro* ac yn ddiweddarach â'r byd darlledu, daeth Ioan yn llawer mwy adnabyddus wedyn, ond go brin y byddai'n dyheu derbyn unrhyw gydnabyddiaeth am weithgarwch diflino'r cnocio drysau gynt, a hynny ar draul llawer o wrthwynebiad yn aml. Ella bod angen i'r Blaid, fel yr awgrymodd R.S. yn yr wythdegau, fynd allan eto i argyhoeddi pobol a chnocio'r drysau drachefn a thrachefn.

Pan fyddai R.S. yn cyfeirio at chwithdod y colledion na allwn eu fforddio gynt, byddai hefyd yn ychwanegu mai'r hyn fyddai'n sbardun iddo oedd gweld ysblander y bobol a roes gymaint o'u hegni a'u hamser i'r genedl hon, a'u cysgodion yn ymddangos yn fwy na nhw, oherwydd y goleuni sy'n eu taflunio ar sgrîn tragwyddoldeb. Un o'r rhai hynny oedd Ioan.

Cymry, Gwyddelod ac Albanwyr ym Mhenrhyn Dingle

Cyfaill, Cymro a Chenedlaetholwr

Dafydd Williams

Cwrddais â Ioan am y tro cyntaf rywbryd yng nghanol y 1960au, ble a phryd yn union dw i ddim yn siŵr. Ond yn sicr roedden ni'n dau'n ffrindiau erbyn gaeaf 1967 pan ymunais â staff llawn-amser Plaid Cymru gan ddechrau gyda rhyw fis o waith yn y swyddfa yn Stryd Fawr Bangor. Erbyn hynny, roedd Ioan yn aelod gweithgar o'r Blaid ers nifer o flynyddoedd – yn ôl pob tebyg wedi iddo fynd i Brifysgol Manceinion a rhannu fflat gyda Dafydd Wigley. Am fwy na hanner canrif felly chwaraeodd ran werthfawr dros ben yn rhengoedd y mudiad cenedlaethol. Bu'n ganolog yng ngwaith y Blaid, nid fel un o'n prif swyddogion, na'n hymgeiswyr, ond fel ysgrifennwr dawnus, creadigol a thoreithiog ac fel aelod oedd yn fodlon gwneud y gwaith caib a rhaw.

Bu'n byw mewn rhannau gwahanol o Gymru: yng nghefn gwlad Llŷn, ar y Gororau, a hefyd yng nghalon y Cymoedd, ym Mhontypridd. Ble bynnag y trigai byddai'n cyfrannu'n helaeth at Gymreictod a chenedlaetholdeb yr ardal. Fel y dywed ysgrifennydd Cangen Pwllheli, ei gyfaill oes, Wil Roberts (Wil Coed), Cymru, Cymreictod a'r Gymraeg oedd pethau Ioan ers yn ifanc iawn, 'eu dehongli a'u cyflwyno i'w gyd-Gymry ac i'w gyd-Geltiaid oedd ei ffon fara, a daeth yn un o gyfathrebwyr gorau a difyrraf ei oes'.

Pan ddes i nabod Io gyntaf, roedd yn gweithio yn adran garthffosiaeth i gyngor Swydd Amwythig, ond yn byw filltir neu ddwy ar ochr Cymru i'r ffin, ym mhentref Crugion yn Sir Drefaldwyn. Fe ges i aros yno lawer gwaith a chael sawl tro hwyliog yn ei gwmni o gwmpas y sir. Fe gynorthwyodd yn etholiadau seneddol Maldwyn yn ystod ei gyfnod yno, gan ddyfeisio ffurflen gofnodi canfasio a ddaeth yn sylfaen ymgyrchoedd etholiadol y Blaid tan droad y ganrif. Roedd gyda ni gyflenwad o'r ffurflenni hyn yn Swyddfa Plaid Cymru ar gyfer etholiadau mewn ardaloedd gwledig ble, yn aml iawn, byddai enwau'r etholwyr yn nhrefn y wyddor yn hytrach nag mewn trefn ddaearyddol gan achosi tipyn o ben tost i drefnydd etholiad am y byddai angen ail sgrifennu'r enwau a chyfeiriadau er mwyn canfasio o dŷ i dŷ a chofnodi'r canlyniadau'n effeithiol. Roedden nhw wedi'u hargraffu mewn nifer o liwiau – wn i ddim ai Ioan oedd wedi meddwl am y manylyn bach hynny, ond gwn mai yn ei lawysgrifen ef roedd y penawdau.

Roedd Ioan ymhlith yr heidiau o bobl ifanc afieithus a dyrrodd i Gaerfyrddin yng Ngorffennaf 1966 pan sicrhaodd Gwynfor fuddugoliaeth hanesyddol. Noda Wil Coed iddo ymgyrchu'n frwd ddegawdau wedyn dros Liz Saville Roberts yn Nwyfor Meirionnydd a thros Hywel Williams yn Arfon yn etholiad cyffredinol Rhagfyr 2019. Roedd Ioan yn sosialydd naturiol yn ogystal â bod yn genedlaetholwr brwd, a deallais fod gwreiddiau gwerinol ei dad a'i deulu wedi bod yn ddylanwad pwysig ar gwrs ei fywyd.

Pan symudodd Alwena ac yntau i Bontypridd, fe wnaeth ffrindiau ymhlith undebwyr llafur yn ogystal â chenedlaetholwyr a byddai wrth ei fodd yng nghanol y criw amryliw a fynychai Glwb y Bont yn y dre. Roedd y ddau wedi prynu tŷ ar ben y bryncyn yn ardal y Graigwen, a phan ddaeth isetholiad Pontypridd yn gynnar yn y flwyddyn 1989, Ioan a luniodd lawer o lenyddiaeth etholiadol Plaid Cymru. Oherwydd natur ei waith fel gohebydd, i'r *Cymro* yn gyntaf, a wedyn i gwmni HTV a'r BBC, bu'n rhaid iddo gyfrannu at waith Plaid Cymru yn y dirgel, er na allai fod gan neb unrhyw amheuaeth ble roedd ei galon, ond gofalai y byddai ei adroddiadau newyddiadurol yn hollol ddiduedd.

Rwy'n cofio un achlysur yn ystod berw dyddiau cynnar ymgyrch etholiad cyffredinol, 1987 rwy'n credu, pan ganodd y ffôn: Ioan newydd ddod mas o gyfarfod gohebwyr ble cawson nhw gyfarwyddyd ar y drefn y dylent greu adroddiadau am y frwydr rhwng y pleidiau ar sianelau'r BBC yng Nghymru. Rhaid fyddai rhoi'r slot gynta ar raglenni newyddion i'r 'ymgyrch Brydeinig', ac wedyn eitem neu eitemau ar yr ymgyrch yng Nghymru. Canlyniad trefn o'r fath, wrth gwrs, fyddai torri'n sylweddol ar unrhyw sylw i Blaid Cymru, a hynny heb ystyried yr holl oriau y byddai'r pleidiau eraill yn eu derbyn ar y sianelau Prydeinig. Mae derbyn gwybodaeth mewn pryd yn werth ffortiwn, diolch i Ioan ac i ohebwyr eraill a ddaeth â chopi o'r cyfarwyddyd i'r swyddfa erbyn hanner dydd. Llwyddasom i ddarbwyllo penaethiaid y Gorfforaeth i newid y cynllun, a rhoi rhywbeth ychydig yn fwy cyfiawn yn ei le.

Byddai Ioan hefyd yn gweithio fel golygydd papur Cymraeg Plaid Cymru, *Y Ddraig Goch*, er nad oedd modd cyhoeddi hynny i'r byd a'r betws oherwydd ei swydd. Gyda'i ddawn gynhenid i ysgrifennu'n rhwydd a chael ongl wahanol ar bethau, byddai bob amser yn llwyddo i gynhyrchu papur diddorol a difyr. Bu'n gyfrifol hefyd am lawer o ddeunydd etholiadol cyn-lywydd y Blaid, Dafydd

Wigley. Mae Dafydd yn tynnu sylw at ei hiwmor arbennig, yn gweld 'ochr ddoniol mewn digwyddiadau ac amgylchiadau a phobol na fuasai'r rhan fwyaf ohonon ni yn ei weld'. A does dim amheuaeth ei fod yn llygad ei le, gan fod hwyl wastad i'w gael yn ei gwmni, fel storïwr, gwrandäwr a chyfaill cywir. Roedd ganddo hefyd gof anhygoel, y gallu ganddo i gofio manylion a'u hailadrodd yn gywir. Dim rhyfedd fod ganddo'r ddawn o wneud ffrindiau ymhobman a'r gallu i'w cadw.

Ioan ac Alwena a ddenodd griw o Gymru ac o'r Alban i deithio dros y môr flwyddyn ar ôl blwyddyn i ben pellaf Iwerddon i Gaeltacht Corca Dhuibhne, neu benrhyn Dingle, a chael cyfle i gwrdd â llu o Wyddelod a fyddai'n dod yno ar eu gwyliau. Bydden ni'n teimlo fel rhan o un teulu mawr fyddai'n cynnwys Ioan, Alwena, Siôn a Lois. Y tu hwnt i dref An Daingean neu Dingle roedd Tir na n'Og Ioan, sef pentref Baile an Fheirtéaraigh. Rywsut neu'i gilydd, byddech chi'n sicr o gwrdd â phobl ddiddorol yng nghwmni Ioan. Unwaith, es i gydag ef i gwrdd â'r ysgolhaig Donncha Ó Conchúir, cyn-brifathro ysgol gynradd y pentref a chadeirydd y gymdeithas gydweithredol. Dro arall, wrth i'r ddau ohonon ni ymlacio yn nhafarn Dick Mack's, Dingle, pwy gamodd heibio gyda gwên fawr ar ei wyneb ond y Taoiseach, Charles Haughey, ar ei ffordd, siŵr o fod, yn ôl i'w ynys wyliau bersonol, Inis Mhic Aoibhleáin. Roedd Ioan yn cicio'i hunan wedyn am beidio â dodi Sion, ei fab yn faban, ym mreichiau Charlie a thynnu llun sydyn gan ei fod yn ffotograffydd brwd. Daeth i adnabod Bertie Ahern, Taoiseach arall yn ddiweddarach, yn ddigon da i Bertie gofio'i enw cyntaf yn iawn.

Bu'n brofiad arbennig bod ymhlith y dyrfa o bobl o bob rhan o Gymru yn ogystal ag o Iwerddon a'r Alban pan ddaeth yr amser i ddweud ffarwel wrth ein hen ffrind. Byddai Ioan ei hun wedi bod wrth ei fodd yn un o'r cwmni.

Ffrind yn Baile an Fheirtéaraigh ac yn y Blaid

Gwerfyl Jones

Ar wal yn fy nghartref mae tapestri hyfryd gan Lisabeth Mulcahy a gefais yn anrheg gan griw Baile an Fheirtéaraigh y llynedd ar noson fendigedig yn y Chart House yn An Daingean i ddathlu pen-blwydd arbennig. I mi mae'r tapestri yn cyfleu'r haul yn machlud rhwng y mynydd a'r môr ar benrhyn Corca Dhuibhne a bob tro rwy'n edrych arno mae'n fy atgoffa am y noson honno a wedyn y sylweddoliad trist na fydd pethau byth eto yr un fath.

Dwi'n cofio cwrdd â Ioan a Wil Coed am y tro cyntaf rywbryd yn niwedd y chwedegau, neu'n gynnar iawn yn y saithdegau pan oedd Delyth Dolgellau a finnau yn bodio o Gaerdydd i ryw rali neu'i gilydd yng Nghaerfyrddin, ac yn cael lifft ganddynt o Gross Hands. Ioan yn mynd yno i ohebu a Wil i dynnu lluniau.

Bu Ioan yn gyfaill triw byth ers hynny. Ioan ac Alwena a'm cyflwynodd i'r criw ac i'r penrhyn hudolus hwn, yn ogystal â'r llond tŷ o gyd-Gymry eraill sy'n crwydro i dde orllewin pellaf Iwerddon yn nhrydedd wythnos mis Awst bob blwyddyn ers chwarter canrif a mwy. Roedd ar ben ei ddigon yno. Mae'n wyliau gwych, pawb yn 'gwncud ei beth ei hun' yn ystod y dydd a chwrdd ar ddiwedd y prynhawn fel arfer yn nhafarn Dick Mack's pan fyddem yn y dref, neu'n nes ymlaen i gael swper ac wedyn 'sesiwn' yn Tig Bhric.

Bu hefyd yn gyd-weithiwr i mi wrth iddo ymgymryd â'r gwaith cyfieithu i'r Blaid yn y blynyddoedd diwethaf, yn barod i fynd yr ail filltir i gadw at 'ddedlein' a'm synnu gyda'i ddawn dweud. Hefyd yn sgîl fy nghyfrifoldebau fel asiant mewn etholiadau Cynulliad a San Steffan yn etholaeth Dwyfor Meirionnydd, roedd fel y graig bob amser, yn barod i gynnig cyngor a chymorth.

Byddaf yn gweld dy eisiau, Io.

Mewn cwmni da

'Dau enaid hoff cytûn'

Elin Jones

'Dau enaid hoff cytûn' oedd disgrifiad fy mam o 'Nhad a
Ioan. Fedrwn i ddim ond cytuno, a dyma ddechrau
meddwl sut y daethon nhw'n ffasiwn ffrindiau. Osborn,
brawd bach Mam (oedd yn byw efo ni) ddaeth â Ioan acw
gynta un. Roedd y ddau wedi dŵad yn ffrindiau yn fuan ar
ôl dyddiau coleg pan fyddai criw o rai tua'r un oed yn
cyfarfod ar nosweithiau Sadwrn ym Mhwllheli ac wrth eu
boddau'n trin a thrafod gwleidyddiaeth a chened-
laetholdeb. Dechreuodd y criw grwydro ymhellach na'r dre
a chafwyd ambell daith gofiadwy i Iwerddon. Galwai Ioan i
weld Osborn bob hyn a hyn ac yn sgil yr ymweliadau hynny
y daeth fy nhad a Ioan yn ffrindiau. Daeth yn amlwg, nid yn
unig fod y ddau'n ymddiddori ym myd y ddrama, ond bod
y ddau hefyd o'r un anian – gan rannu'r un atgasedd
eithafol tuag at y nionyn a'i dylwyth!

Arferai Dad fynd am wythnos i Ddulyn bob blwyddyn
er mwyn cael mynd i weld dramâu yn y theatrau yno a
byddai'n aros bob amser yn llety gwely a brecwast Mr a
Mrs Jolly. Ar un o'r ymweliadau yma, yn ddiarwybod i Dad,
roedd Ioan hefyd yn aros yn yr un llety. Wrth i Ioan fwyta'i
frecwast cyhoeddodd Mrs Jolly fod 'na 'Mr Jones from
Wales' yn aros yno a'i bod yn grediniol y byddai Ioan yn ei
'nabod. Ceisiodd yntau egluro bod sawl Mr Jones yng
Nghymru ac mai go brin y byddai'n 'nabod y dyn.

Dychmygwch yr hwyl a'r chwerthin pan ddaeth Dad i lawr y grisiau a dim math o angen i Mrs Jolly gyflwyno Ioan ac yntau i'w gilydd wedi'r cwbwl!

Stori uchel iawn arall gan y ddau oedd hanes eu taith i Lundain i weld drama Brendan Behan, *Richard's Cork Leg*, yn Theatr y Royal Court. Cofnododd Ioan yr hanes yn ei deyrnged pan fu Dad farw. Aros mewn gwesty a wna'r rhan fwyaf o bobl sy'n mynd i Lundain i weld drama, ond na, gwersylla oedd dewis y pump anturus yma sef Osborn, Glesni, Ioan, Alwena a 'Nhad. Pwy arall a fyddai'n ystyried gosod pabell ar gyrion Llundain a chael eu deffro gan wartheg oedd yn rhannu'r un cae? Afraid ydi deud na chawsom ni fawr o hanes y ddrama yn dilyn crescendo'r campio!

Bu Ioan a Dad yn cydweithio fwy nag unwaith hefyd. Y tro cyntaf oedd pan ysgrifennodd Dad sgript y ddrama ddogfen *Dau Frawd* ar gyfer y gyfres *Almanac* a gynhyrchwyd gan Ffilmiau'r Nant i S4C. Y stori olaf a ysgrifennodd Ioan ar gyfer *Y Cymro* yn 1977 roddodd fod i'r ddrama, a honno'n stori ryfeddol am ddau frawd oedd yn gyd-aelodau (a'r unig aelodau) yng Nghapel Galltraeth ond heb siarad â'i gilydd ers blynyddoedd. Gwelediaeth y cyfarwyddwr, Alun Ffred Jones wedyn oedd gofyn i Dad droi'r stori yn ffilm hanner awr. Wrth gwrs, mwynhaodd Ioan a Dad ambell daith i Lŷn i chwilio ac ymchwilio cyn i'r ddrama weld golau dydd.

Os cafwyd sawl taith ddifyr i Lŷn i ymchwilio i'r ddrama honno cafwyd un daith gofiadwy i Ogledd Iwerddon ar gyfer drama arall y cydweithiodd y ddau arni ar gyfer yr un gyfres deledu sef *O Dweiliog i D'wyllwch*. Ymchwilio roedden nhw'r tro hwnnw i hanes dau bysgotwr ifanc o Dudweiliog yn mynd allan mewn cwch bach i godi cewyll cimychiaid ym 1933, yn colli rhwyf mewn storm a chael eu chwythu yr holl ffordd i Kilkeel, Swydd Down. Fyddai Dad byth yn blino'i dweud am yr hen wreigan yn Kilkeel a fynnai, pan aeth Ioan a Nhad yno yn 1985, mai nhw ill dau oedd y ddau lanc ifanc a achubwyd yn 1933. Byddai'r ddau am y gorau'n chwerthin ei hochor hi wrth gofio'r cofleidio a'r croeso a gawsant ganddi, a hynny ar ôl yr holl flynyddoedd fel y tybiai hi!

Aeth sawl blwyddyn heibio cyn i Ioan a Dad gydweithio wedi hynny, ond parhaodd eu cyfeillgarwch ar hyd yr amser ac mi fyddai Dad yn sbriwsio drwyddo pan gâi alwad ffôn neu ymweliad gan Ioan a threuliodd oriau difyr iawn yn ei gwmni o ac Alwena a'u cyfeillion o'r Alban ac Iwerddon. Cafodd gymorth parod a chynhaliaeth werthfawr gan Ioan i ysgrifennu'r gyfrol *Mân Bethau Hwylus* a gyhoeddwyd gan Wasg Gwynedd yn 2005 pan oedd Dad yn 85 oed, yr un flwyddyn ag y lansiwyd dwy gyfrol arall o'i waith gan Wasg Carreg Gwalch sef *Newyddion Ffoltia Mawr* a *Rhigymau Wil Sam*. Ac yntau mewn gwth o oedran erbyn hynny byddai cael edrych ymlaen yn eiddgar at ymweliadau wythnosol Ioan yn cynnal Dad wrth iddo ysgrifennu'r naill bennod ar ôl y llall er mwyn i Ioan wedyn olygu a theipio ei waith.

Wedi i ni golli Dad cawsom ninnau fel teulu y fraint o gydweithio efo Ioan pan aeth ati i olygu'r gyfrol *Bro a Bywyd W.S. Jones* (Cyhoeddiadau Barddas 2009). Roedd Ioan yn hamddenol ac yn un hawdd iawn cyd-dynnu efo fo, ond llwyddai ar yr un pryd i yrru popeth ymlaen yn hwylus heb wastraffu amser. Gwyddem ein bod yn nghwmni newyddiadurwr, cofnodwr a llenor profiadol. Mae'r gyfrol honno o luniau sy'n golygu llawer i ni a sylwadau Ioan arnynt wedi bod yn gysur ac yn goffâd teilwng i Dad, a bellach bydd fel ei holl gyfrolau gwerthfawr eraill yn gofadail i Ioan hefyd.

Bu Ioan yn ymwelydd cyson â Thyddyn Gwyn am ymhell dros hanner canrif a pharhaodd i alw heibio Mam wedi i ni golli Dad hyd at yr ymweliad olaf ychydig ddyddiau cyn i Ioan ein gadael. Diolch am gyfaill triw a hwyliog. Bydd bwlch a chwithdod mawr ar ei ôl.

Cyfweld y sherpa Tenzing Norgay i'r Cymro

Petai wedi gwrando arna i ...

William H Owen

Petai wedi gwrando arna i prin y byddem yn sôn amdano o bosibl fel newyddiadurwr, golygydd, cynhyrchydd nac awdur. Byddai'n fy atgoffa o dro i dro o'r hyn roeddwn wedi ei ddweud wrtho yn yr *Hand and Diamond* yn 1968. Tafarn oedd honno ar y ffin wledig rhwng Maldwyn a Swydd Amwythig lle'r oedd ychydig o Gymry wedi dechrau cyfarfod unwaith yr wythnos cyn fy nghyfnod i yn yr ardal, pobl fel Ifan Roberts, Gwyn Griffiths a Glyn Evans oedd yn gyflogedig gan *Y Cymro*, ac ambell un arall fel Ioan oedd yn gweithio i Gyngor Bwrdeistref Amwythig ar y pryd. Yn ystod y sgwrs un noson, rai misoedd ar ôl i mi ymuno â staff *Y Cymro*, soniodd ei fod awydd rhoi cynnig am swydd gyda'r papur. Yr ateb a gafodd, meddai, oedd hyn: 'Wyt ti'n well allan lle'r wyt ti, y diawl gwirion'! Does gen i ddim cof dweud hynny wrtho ond gan fod cof Ioan yn llawer gwell na fy un i rwyf yn eithaf sicr ei fod yn iawn. Fel y gwyddoch, wnaeth o ddim derbyn fy nghyngor!

Er mai peiriannydd oedd o, roedd darllen ac ysgrifennu yn agos iawn at ei galon, a Chymru ac Iwerddon yn uchel ar y rhestr hefyd. Er mai dilyn pynciau gwyddonol a wnaeth roedd graen bob amser ar ei Gymraeg ysgrifenedig a llafar, diolch i'w fagwraeth a'r ysgolion a fynychodd yn Llŷn. Cyn meddwl am swydd yn swyddfa'r *Cymro* yng Nghroesoswallt roedd wedi cyfrannu erthyglau i'r papur. Rwyf bron yn siŵr mai'r gyntaf oedd yn Hydref 1968 am gwpl o Amwythig, Mr a Mrs Gavin Gibbons, y gellir darllen eu hanes gan Ioan yng nghefn y gyfrol hon – y gŵr yn medru tair ar ddeg o ieithoedd, gan gynnwys y Gymraeg, a'r wraig un yn fwy. Yr hynodrwydd yn eu cartref oedd mai Cymraeg oedd yr iaith swyddogol ar bob dim oedd wedi ei labelu gan y ddau ddysgwr yn eu stydi.

Yn Ionawr y flwyddyn honno y cafodd y gohebydd, Gwyn Griffiths (yntau wedi'n gadael yn 2018) swydd yn adran gyhoeddusrwydd y BBC yn Llandaf. Gan fod enw Ioan yn adnabyddus i'r golygydd, D Llion Griffiths, doedd ganddo ddim amheuaeth mai dyma'r un i olynu Gwyn. Ymunodd â thri ohonom yn y swyddfa leiaf yn y byd yn agos at do adeilad cwmni papurau newydd Woodalls, gyferbyn â hen orsaf drenau Croesoswallt. Dyma weld a fyddai 'ffyrdd difyrrach o ennill bywoliaeth na gofalu am system garthffosiaeth Cyngor Bwrdeistref Amwythig' fel yr ysgrifennodd yn 2015 yng nghofiant Glyn Evans, ein cydweithiwr yn y swyddfa. Doedd dim amheuaeth, byddai'n sicr o setlo yn sedd Gwyn Griffiths ar ei union, er nad yn eistedd yn y gadair honno y byddai hapusaf, fodd bynnag, ond allan yn y maes yn cyfarfod hwn a'r llall ac yn holi am eu hynt a'u helynt.

Dyn pobl oedd Ioan ac yn amlach na pheidio caem gynnwys sgyrsiau ei straeon ar lafar yn y swyddfa cyn iddo ddechrau eu crynhoi ar bapur. Ni fyddai'n rhuthro drwy ei waith; yn ofalus, bwyllog y byddai wrthi a byddai'n meddwl yn hir cyn rhyddhau dim o'i law i'r golygydd. Yn yr un cofiant â'r uchod mae'n sôn am y sgwrs a gawsom yn angladd Llion Griffiths, y golygydd, yn y Bala yn 2013 lle traddododd y deyrnged iddo. Daeth Gwyn Griffiths, Glyn Evans, yntau a minnau ynghyd y diwrnod hwnnw a'r casgliad oedd mai blynyddoedd *Y Cymro* oedd cyfnod hapusaf ein gyrfaoedd.

Nid bod hynny'n golygu ein bod wedi cydweld am bob dim, na'n bod yn glên gyda'n gilydd drwy'r adeg; roedd digon o ddadlau chwyrn ar brydiau a Ioan yn gadarn ei safiad bob tro. Diwedd y chwedegau oedd hi, brwydr yr iaith yn amlwg tu hwnt a'r Arwisgo, wrth gwrs. Pwy oedd yn mynd i ymateb i'r gwahoddiad i ohebu y diwrnod hwnnw yn 1969? Oherwydd cysylltiad Lyn Ebenezer ag 'eithafwyr' y cyfnod ni theimlai'r golygydd y byddai croeso iddo. Ioan oedd y dewis arall a gallaf ei weld yn awr yn llawn artaith yn ceisio wynebu'r dasg. Aeth yno i'w sedd yn y castell yn gwbl yn erbyn ei ewyllys. Ni fwynhaodd funud o'r profiad. Petaech yn mynd yn ôl i weld yr adroddiad dienw o Gaernarfon yn *Y Cymro* yr wythnos wedyn byddech yn synnu pa mor fyr ydoedd, ychydig baragraffau yn unig a gadael i luniau Geoff Charles adrodd gweddill y stori.

Dywedodd wedyn mai'r hyn a dynnodd ei sylw o fewn y castell oedd enw'r dyn a eisteddai agosaf ato – Mr Welshman. Credai am flynyddoedd iddo gael ei osod yno, gydag enw fel yma, i warchod gohebydd papur nad oedd wedi bod yn rhy gefnogol i'r digwyddiad. Wrth iddo heneiddio, deallodd fod teulu o'r enw Welshman yng Nghaernarfon ac efallai mai un ohonynt hwy oedd yn digwydd eistedd agosaf ato y diwrnod hwnnw. Yr Arwisgo oedd testun un o'i e-byst i mi ym Mehefin 2019 ar drothwy cofio'r hanner can mlynedd. Meddai: 'Dwi'n cael fy mombardio braidd y dyddia yma efo pobol isio fy atgofion am y cyfnod chwerw-felys hwnnw – dwi'n pitïo na faswn wedi trio darbwyllo Llion mai chdi fyddai'r gohebydd delfrydol ar gyfer y castell!' Roedd ganddo neges arall hefyd: 'Newydd brynu llyfr Arwel Vittle am yr Arwisgo a dechrau pori drwyddo, a gweld, er mawr gywilydd, ei fod yn rhoi'r argraff mai fi oedd yn gyfrifol am y dudalen bop ar ôl ymadawiad Gwyn Griffiths! Faswn i ddim wedi breuddwydio hawlio'r clod am dy lafur clodwiw di! Ar wahân i hynny, am wn i nag ydi o wedi fy nyfynnu'n weddol gywir ac mae i'w weld yn llyfr digon difyr.' Ni fyddai byth yn anghofio i mi fod yn ymwneud â'r 'dudalen bop' a blynyddoedd yn ddiweddarach byddwn yn achlysurol yn clywed y geiriau 'a be 'di barn cyn-ohebydd pop *Y Cymro?*' mewn sgwrs. Roedd hefyd yn dal i gofio fy ngeiriau wrth sôn am gynnyrch rhai o'r plant fyddai'n anfon deunydd i Dewyrth Tom. Doeddwn i ddim yn eu cofio a gwell fyddai peidio â'u hailadrodd!

Byw ar y Gororau mewn lle bychan o'r enw Crugion yr oedd Ioan, wrth droed bryn y Breidden a'r Admiral Rodney ar ei gopa. Ymfalchïai iddo gyrraedd y gofeb sawl gwaith. Rhannai dŷ, oedd i fod at wasanaeth gwas fferm Criggion Hall. Pan adawodd Peter Cross, athro Cymraeg yn y Trallwng, cefais gynnig ei le yn 1 Maes-y-Llan. Y Trallwng oedd y dref agosaf ac yno y byddem yn cymdeithasu, os nad oedd Ioan oddi cartref yn gohebu. Yno, yn y *Royal Oak* y cyffrôdd drwyddo wrth glywed y stori chwedlonol am ddefnydd y Gymraeg mewn tŷ tafarn. Roeddem ein dau yn eistedd yn sgwrsio ac yn sydyn distawodd Ioan a gwrando. Roedd y trwyn i fyny, chwedl Des Davies, Blaenffos (un o griw'r Trallwng ar y pryd) wrth ddisgrifio ei osgo pan nad oedd pethau'n plesio. 'Rubbish!' oedd y gair a ynganodd a hynny gydag arddeliad. Erbyn deall roedd wedi bod yn gwrando ar sgwrs y ddau agosaf atom, a'r dyn yn egluro iddo gerdded i mewn i dafarn a bod pawb wedi troi i siarad Cymraeg. Fu'r gŵr bonheddig ddim yn hir cyn clywed esboniad cadarn Ioan mai myth oedd yr holl stori. Pwysleisiodd 'eu bod yn siarad Cymraeg cyn iddynt gyrraedd yno ac na wnaent ystyried newid eu hiaith o gwbl.' Calla dawo, dwi'n siŵr y dywedodd y dyn wrtho'i hun. A dyna'r storm drosodd a phawb yn dawel!

Yn y cyfnod yma y cyfarfu â merch y garej o Lanerfyl adeg etholiad cyffredinol 1970. Doeddwn i ddim yn y cwmni ar y pryd ond yn fuan deallais fod carwriaeth ar y gweill. Pan aeth Alwena i'r coleg yng Nghaerdydd byddwn yn gweld llai ohono gan fod *Y Cymro* am ganolbwyntio ar ragor o straeon a phortreadau o'r de. Treuliai amser yn y llysoedd yn gwrando ar achosion Cymdeithas yr Iaith ac ymhyfrydai iddo gael bod yn dyst i'r fath achlysuron. Ymhen rhai blynyddoedd wedyn, wedi i mi ac yntau adael y papur, daeth y profiad hwnnw yn y llysoedd yn gaffaeliad mawr iddo pan ddechreuodd ohebu i Radio Cymru yng Nghaerdydd, megis ar achos y 'bomiau bach'. Hwn oedd yr achos cynllwynio a ffrwydron yn Llys y Goron Caerdydd yn 1983 a groniclodd wedyn yn ei lyfr *Achos y Bomiau Bach*.

Y gŵr a'i penododd yn olygydd *Y Dydd*, Gwilym Owen, a ddaeth yn olygydd newyddion Radio Cymru yn yr wythdegau. Wynebodd ddiweithdra pan ddaeth *Y Dydd* i ben yn 1982, ond cafodd beth gwaith gyda *Newyddion* BBC Cymru, diolch i Gwilym, a dod i gysylltiad â'r diweddar Rod Richards. Clywais ef yn dweud fwy nag unwaith am ymateb y cyflwynydd i'w sgript oedd yn cynnwys y geiriau 'er bod'. A meddai'r cyn-ysbïwr! 'Ti yw'r Sgriblwr a oedd yn ysgrifennu colofn "bigog" *Y Cymro* ar y pryd.' Nid dyna'r gwir, wrth gwrs. Roedd Ioan, fel y gweddill ohonom, wedi dod o dan ddylanwad Llion Griffiths oedd o'r farn nad oedd angen treiglo 'bod' ar ôl 'er'.

Ychydig a welais arno ers dyddiau Croesoswallt nes i ni gyfarfod eto yn y BBC yn yr wythdegau. Nid ei fod yn ddyn BBC; gyda HTV a theledu masnachol yr oedd ei galon. Ymhen dim gadawodd i weithio ar y rhaglen *Hel Straeon* yn y de yn 1987 pan oedd Wil Aaron yn ei llywio o Gaernarfon. Y flwyddyn wedyn ymunais i â'r rhaglen yn y gogledd ac unwaith eto roeddem yn cydweithio, os mai dyna'r gair o ystyried y milltiroedd rhyngom. Yn ei dro byddai'n dod i Gaernarfon i gynhyrchu rhaglen nos Sul, ond yn 1988 daeth yno yn fwy parhaol a symud yn y diwedd gydag Alwena a Sion i Lwynhudol, Pwllheli. Cyn hynny byddai'n aros gyda'i fam yn Rhoshirwaun. Bu hi farw'n sydyn a theimlai Ioan yn ffodus i ffawd fod o'i blaid ac yntau ym Mhen Llŷn yn ystod ei horiau olaf. Bu'r blynyddoedd wedyn yn rhai prysur tu hwnt iddo, o ffilmio straeon i raglenni wythnosol *Hel Straeon* a chynhyrchu rhaglenni dogfen ymhobman. Yng nghanol hyn i gyd y cyhoeddodd yn y swyddfa un diwrnod fod Alwena'n disgwyl plentyn a mawr fu'r llongyfarch ar y darpar dad balch. Ymhen rhai misoedd ganwyd Lois ac roedd ar ben ei ddigon. Gwyddwn ers dyddiau Crugion am ei hoffter o blant pan ddaeth Dewi, ei nai, i aros am noson neu ddwy yno.

Mwynheuai ei waith yn aruthrol a phan gyhoeddodd Wil Aaron ei fod am dorri ei gysylltiad â *Hel Straeon* yn 1993 roedd yn barod am yr her. Cefais wahoddiad ganddo i ymuno yn y fenter o greu cwmni newydd i ofalu am y rhaglen. Yn amlwg roedd wedi bod yn myfyrio dros y peth ac wedi dewis enw i'r cwmni – Teledu Seiont. Ymlaen yr aethom yn hyderus y byddai parhad i'n hymdrech. Roedd yn gwbl ffyddiog na fyddai S4C yn meiddio ffrwyno *Hel Straeon* gan ei bod yn dal i ddod ar y brig yn rhestrau gwylio'r sianel. Cafodd fodd i fyw pan welodd fod ei gyfres teithio i'r Alban gyda Lyn Ebenezer hefyd wedi cyrraedd y brig a bu dathlu, fel y gallai Ioan ddathlu! Ond cyn hir casglodd y cymylau. Er dirfawr loes byrhawyd nifer rhaglenni *Hel Straeon* ac nid oedd fawr ddim o'n syniadau eraill yn bachu. Ymhen amser daeth y cyhoeddiad o

Gaerdydd y byddai'r rhaglen yn cael y farwol yn 1998. Ar y pryd doeddwn i ddim yn llawn sylweddoli mai hon oedd yr ail ergyd galed iddo'i chael yn ei yrfa deledu. Roedd yn cymharu â'r ergyd o golli ei waith ar *Y Dydd* yn 1982. Er iddo weithio'n ddygn i greu achos dros barhau gyda'r gyfres a tharo sawl postyn, nid oedd y pared yn clywed. Daeth yn amser paratoi'r rhaglen olaf. Beth am orffen honno ar nodyn ysgafn? Chwilio am bytiau oedd wedi mynd o'u lle oedd y syniad – '*out-takes*' Dennis Norden.

Gwyddwn am un roedd ef ei hun wedi ei ffilmio yn Efrog Newydd y flwyddyn gynt pan oedd Keith Davies, y cyflwynydd, yn holi'r ffotograffydd Philip Jones Griffiths. Ar ganol y sgwrs roedd cadair Philip wedi rhoi oddi tano nes bod y gwron ar lawr yr ochr draw i'r bwrdd. Ei apêl yn syth i Ioan oedd iddo ofalu peidio â dangos peth felly ar y sgrîn. Oherwydd ei eilunaddoliaeth bron o'r ffotograffydd ni fyddai wedi meiddio tynnu'n groes. Serch hynny, roeddwn i fel gwyliwr cyffredin yn ei weld yn ddoniol eithriadol a'i bod hi'n bechod peidio â'i ddefnyddio i orffen y rhifyn olaf o *Hel Straeon*. Heb lawer o berswâd, oedd yn anarferol dan yr amgylchiadau, cytunodd i ni ei gynnwys. Pan gyfarfu â'r ffotograffydd wedyn, yr ochr yma i'r dŵr, tipyn yn oeraidd oedd y cyfarfyddiad, meddai Ioan. Roedd yn amlwg fod Philip wedi clywed, os nad wedi gweld, fod y pwt wedi ei ddefnyddio, a'i ble wedi ei hanwybyddu. Serch hynny, ni wnaeth ddal dig am yn hir. Bu cyfarfodydd rhyngddynt wedyn a chafodd ganiatâd ei deulu i gyhoeddi'r llyfr cynhwysfawr amdano yn 2018 – *Philip Jones Griffiths – ei fywyd a'i luniau.*

Wedi diflaniad *Hel Straeon* daeth gwaith i'r cwmni wedi hynny yn cydgynhyrchu cyfres *Pedwar Botwm* gyda chwmni Antena. Dangos peth o gynnyrch y sianel newydd, S4C Digidol, ar S4C analog oedd y bwriad a thynnu sylw at fodolaeth y byd digidol. Daeth yn bryd i'r sianel gyfan droi'n ddigidol ac roedd Ioan yng Nghaerdydd y noson y darlledwyd y rhaglen 'fyw' gan y ddau gwmni i gyhoeddi i'r byd a'r betws ei bod hi'n oes newydd a bod S4C yn dechrau darlledu am ddeuddeng awr y dydd. Yn sgil hyn cafwyd gwaith yn paratoi cyfres hir o *Oreuon Hel Straeon* a Lyn Ebenezer yn eu cyflwyno, a'r diweddar John Chris yn tynnu gwallt ei ben yn ei ymdrech i gael trefn ar y cannoedd o dapiau i'w golygu.

Erbyn dechrau'r mileniwm newydd ychydig o argoel oedd am waith. Aeth at *Y Byd ar Bedwar* am bwl ac yna gohebu rhywfaint i newyddion Radio Cymru. Yn 2002 daeth Teledu Seiont i ben ond cyn hynny roedd Ioan wedi troi at ei gariad cyntaf, ysgrifennu. Teimlodd yn arw pan fu farw'r Parch Elfed Lewys yn 1999, gŵr y bu yn ei gwmni yn aml yn Sir Drefaldwyn. Roedd Elfed mor wahanol i'r rhai hynny y gallai Ioan gymryd yn eu herbyn weithiau am eu bod yn bobl 'boring'! Cafodd ei berswadio gan Helen Davies, Blaenffos – gwraig Des a'n bwydodd lawer tro yn hwyr y nos yn eu cartref ym mhentref Cegidfa – i fynd ati i gasglu'r straeon am y diweddar weinidog a chyhoeddi'r llyfr er cof am Elfed – *Cawr ar Goesau Byr* yn 2000. Cafodd flas ar gasglu'r deunydd, ac adroddai lawer o'r straeon, cyn mynd ati i gwblhau'r llyfr a gyhoeddwyd gan Y Lolfa heb dderbyn unrhyw grant. Rhoddodd hynny gychwyn ar flynyddoedd toreithiog o chwilota ac ysgrifennu.

Treuliodd lawer o'i amser wedyn yn mynd drwy luniau ei gyn-gydweithiwr, Geoff Charles yn y Llyfrgell Genedlaethol a chyhoeddi casgliadau o'i waith. Yn un o'n sgyrsiau diwethaf a gefais ganddo, soniodd mai ei dasg ar y pryd oedd gorffen argraffiad Saesneg o waith y ffotograffydd i'r Lolfa. Roedd wedi addo yn y cytundeb gwreiddiol wrth drefnu'r fersiynau Cymraeg, y byddai cyfrol Saesneg yn eu dilyn. Yn yr un sgwrs y dywedodd ei fod wedi gorffen, o'r diwedd, ysgrifennu cyfrol ar hanes yr

Eglwys Babyddol yng Nghymru a fu yn faen melin am ei wddf am rai blynyddoedd.

Ar wahân i ysgrifennu ei hun byddai'n darllen yn eang, yn Gymraeg a Saesneg. Mewn neges e-bost ar ddechrau 2019 eglurodd ei fod wrthi'n darllen *Y Brenhinbren*, astudiaeth Derec Llwyd Morgan o fywyd a gwaith Syr Thomas Parry. Aeth ymlaen: 'Mi synnais weld ei fod yn dyfynnu o fy nghyfweliad i efo fo i'r *Cymro* a hynny yn nechrau'r saithdegau. Anghofia i mo'r profiad hwnnw – y peth cynta ddeudodd o pan es i'r tŷ oedd 'Ac ym mha brifysgol buoch chi gyfaill?' So ffar so gwd, ond y cwestiwn nesa oedd, 'Ac ym mha bwnc y cawsoch chi'ch gradd?' 'Ches i ddim un,' medda fi. 'Mi helion nhw fi o'no ar ddiwedd yr ail flwyddyn.' A'r cydymdeimlad ges i – 'Wel dyna beth ofnadwy i ddigwydd i ddyn!'

Yng Ngorffennaf 2019 yn angladd Gwilym Owen, a brofodd yr un dynged golegol â Ioan, y gwelais ef ddiwethaf, er iddo ffonio ymhen ychydig ddyddiau wedyn i sôn am y rhai roedd wedi eu cyfarfod yno am y tro cyntaf ers blynyddoedd. Roedd sgyrsiau gyda hen gydnabod bob amser yn felys i Ioan oherwydd pobl a'u straeon, eu hanesion a'u troeon trwstan y byddai'n eu hailadrodd ei hun wedyn gydag arddeliad a fyddai'n rhoi'r wefr fwyaf iddo. Anodd yw credu mai atgof yn unig sydd ar ôl o'r un a dreuliodd oes yn adrodd y straeon rheiny.

Chwip o newyddiadurwr!

Eifion Glyn

Swyddfa'r *Cymro* yng Nghroesoswallt. Mae'n ganol bore ar ddiwrnod rhoi'r papur yn ei wely a'r golygydd yn smalio nad ydi hi'n banic stesions. Mae'r ddalen flaen yn wag. Does gynnon ni ddim prif stori – '*lead*'. Mae pawb yn crafu pen ac yn dyrnu'r ffôn yn chwilio am waredigaeth. Yn y gornel bella, yn hamddenol braf, mae un o'r newyddiadurwyr yn rhoi'r ffôn yn ôl yn ei grud. 'Dwi'n meddwl bod gen i stori flaen.' Llais digynnwrf Ioan Roberts, prif ohebydd y papur.

Dyna un o'r atgofion clir, cyntaf sydd gen i o Io Mo. Yn ddi-ffael pan fyddai'n wasgfa ar y papur, Io Mo fyddai'n dod i'r adwy. Ganol y saithdegau oedd hi a finna'n brentis newyddiadurwr yn rhyfeddu at ei ddawn o gael stori o nunlla. Roedd o'n chwip o newyddiadurwr oedd â'r ddawn brin o sgwennu'n ardderchog newyddion caled a straeon nodwedd fel ei gilydd.

Un o gas dasgau'r staff yn swyddfa'r *Cymro* fyddai cyfieithu y deunydd golygyddol ar gyfer atodiadau hysbysebion a gâi eu cynnwys yn holl bapurau wythnosol Cwmni Papurau Newydd Gogledd Cymru, perchnogion *Y Cymro*. Rhyw sbîl ddienaid, syrffedus fyddai'r cyfryw ddeunydd ond byddai Ioan yn ymwrthod â'r cyfieithu ac yn sgwennu stwff o'i ben a'i bastwn a hwnnw'n ddifyr a darllenadwy bob gafael.

Gyda chylchrediad y papur tua 8,000, roedd yna ddigon o lewyrch i gyflogi criw da ohonom. Byddai'r rhan fwyaf yn gweithio o'r swyddfa ganolog ond roedd yna ohebwyr allan yn y maes; y mwyaf hirhoedlog oedd Lyn Ebenezer yn Aberystwyth. Yn ddiamheuol, Ioan oedd y brenin yn ein plith, yn teithio ar hyd a lled y wlad cyn dychwelyd i 'Soswallt' efo llond sgrepan o straeon. Roedd o'n gyfnod difyr i fod ar y staff a llawer o hwyl a thynnu coes yn digwydd.

Yn ogystal â dawn sgwennu roedd gan Ioan feddwl praff a llond gwlad o gontacts. Fe wyddai mai arf pwysicaf unrhyw newyddiadurwr oedd ei enw da ac roedd pob un o'i gysylltiadau yn ymddiried yn llwyr ynddo ac yn barod i rannu gwybodaeth sensitif, yn gwybod na fyddai'n llurgunio na chwyddo straeon. Gwleidyddiaeth oedd un o'i bennaf ddiddordebau a byddai'n sgwennu colofn afaelgar i bapur nosweithiol y cwmni, yr *Evening Leader,* dan y ffugenw John Probert. Roedd ei Saesneg fel ei famiaith yn goeth a dirodres.

Pan fyddai Llion Griffiths, y Golygydd, ar ei wyliau Ioan fyddai'n cymryd at yr awenau a byddai yn ei elfen yn cyflwyno rhai o'i syniadau ei hun i wella'r *Cymro.* Pe baem wedi cael papur dyddiol Cymraeg, alla i ddim meddwl am neb gwell na Ioan i fod yn Olygydd arno.

Roedd hi'n anorfod y byddai eraill yn ceisio'i ddenu o'r *Cymro* ac roedd hi'n ddiwrnod du ar y papur pan symudodd i Gaerdydd i olygu *Y Dydd*, rhaglen newyddion nosweithiol HTV. Fyddwn i ddim yn ei weld mor aml ar ôl iddo godi ei bac am y brif ddinas heblaw am y Steddfod

Yn Eisteddfod 1992

ac mewn ambell achlysur arall. Ond bob tro y'i gwelwn yr un hen Io Mo oedd o. Wnaeth o ddim newid yr un iot ar ôl symud at y cyfryngau yn y brifddinas. Dwi'n siŵr nad oedd neb yng nghoridorau HTV na'r BBC oedd yn fwy annhebyg i 'gyfryngi' neu 'lyfi'. Roedd yn perthyn i'r pegwn eithaf o'r ddelwedd honno a dweud y gwir.

Wnaeth Ioan erioed ymddeol go iawn. Mi fyddai ganddo wastad gyfrol ar y gweill. Mae ei lyfrau am Geoff Charles, ffotograffydd *Y Cymro*, yn gyfrolau i'w trysori. I mi ei orchest fawr yw ei gofiant i un o ffoto newyddiadurwyr gorau'r byd, y Cymro balch, Philip Jones Griffiths. Mae'n gampwaith.

Dwi wastad wedi meddwl fod yna ryw swildod cynnil ynglŷn â thrigolion Llŷn sy'n eu gwneud yn frîd gwahanol i'r rhelyw o blant dynion. Ac roedd hynny'n wir am Ioan. Ond y tu ôl i'r masg, roedd yna hyder distaw a doethineb y pridd. Doedd o ddim yn geiliog ar ben domen, yn wir roedd o'n berson gwylaidd a welais i erioed mohono'n brolio. Byddai wastad hefyd yn trin pawb yr un fath, boed frenin neu drempyn.

Wrth ddweud hynny 'ella 'mod i'n syrthio i hen drap y newyddiadurwyr o ormodiaeth drwy ddweud 'pawb'. Cystal cydnabod nad oedd Ioan yn ffan o unrhyw Dori na Sais uchel ei gloch. Er gwaethaf ei natur addfwyn mi fyddai'n mynd i ben caitj pan glywai Sais ffroenuchel neu Dori yn pontifficeiddio – yn enwedig ar ôl iddo gael llymaid o'i hoff 'win y gwan'. Mae gen i gof byw am o leiaf ddau achlysur.

Y tro cyntaf oedd pan ofynnodd i mi dywys Dai Banjo i ben yr Wyddfa. 'Roedd hi'n warth,' meddai 'nad oedd Ysgrifennydd Cyffredinol Plaid Cymru wedi dringo mynydd uchaf ei wlad!' Roeddwn i'n byw yn Waunfawr ar y pryd a llwybrau'r Wyddfa yn fwy cyfarwydd i mi nag i Ioan. Pan gyrhaeddon ni'n tri y copa roedd criw mawr swnllyd o Saeson yno ac un ohonynt yn prysur blannu jac yr undeb. Fe gafwyd geiriau a diflannodd y faner estron.

Ar ôl cyrraedd yn ôl i'r gwaelod yn fuddugoliaethus roedd yn rhaid dathlu ac i ffwrdd â ni i'r dafarn. Pwy feddyliech chi oedd yno o'n blaenau ond y giwed o Saeson. Ar ôl peint neu ddau fe gododd llais Ioan rai desibels ac wrth fynd yn fwy croch roedd ei eirfa'n tyfu yn fwy ac yn fwy coch. Rhag i'n crwyn fod ar y pared, bu'n rhaid cymryd y goes yn reit sydyn.

Seremoni gwobrwyo cyfryngol oedd yr ail achlysur – BAFTA neu wobrau BT, dwi ddim yn cofio. Roeddwn i yno ar fwrdd ciniawa HTV a Ioan yn westai ar fwrdd S4C. Y gwleidydd Neil Hamilton oedd y siaradwr gwadd ac roedd hynny fel cadach coch i darw i Ioan. Roedd Mr Robaits wedi cael diferyn neu ddau cyn y pryd bwyd a phan gododd y gwleidydd i siarad fe ddechreuodd Ioan ei heclo ac nid iaith y pulpud a ddefnyddiai. Daliodd ati yn daer gan ei alw yn bob enw dan haul a phob tro yr agorai ei geg fe welech uchel swyddogion S4C yn suddo'n is ac yn is i'w cadeiriau.

Oedd, yn ogystal â bod yn newyddiadurwr heb ei ail roedd Io Mo yn dipyn o gymeriad. Roedd o hefyd yn un o'r bobol brin hynny nad oedd yn newid dim o ran pryd a gwedd wrth heneiddio. Wnaeth o ddim britho na cholli ei wallt, wnaeth o ddim magu bol, roedd o mor denau yn ei saithdegau ag yr oedd pan wnes ei gyfarfod gyntaf yn y saithdegau. Mi fyddwn i'n ei bryfocio a dweud ei fod wedi ei biclo, fod ganddo botel enfawr o finag gartref a'i fod yn treulio cyfnod bob noson yn mwydo yn honno!

Yn ddiamheuol roedd o'n un o'r cymeriadau bythol wyrdd yna oedd yn mynd i fyw am byth. Sioc felly oedd yr alwad ffôn i ddweud ei fod wedi ein gadael. Gyda'i farwolaeth mi gollodd Cymru un o'i newyddiadurwyr mwyaf amryddawn a galluog.

Io Mo a'r eira mawr

Robin Evans

Wyddoch chi ble mae Achnasheen? Wyddwn innau ddim chwaith nes i mi fynd yno ryw dro efo Ioan ac Alwena. Ganol y saithdegau oedd hi a finna, fel Ioan, yn gweithio ar *Y Cymro*. Yn y cyfnod hwnnw byddai Ioan ac Alwena yn ei throi hi tua'r Alban dros y Calan ac fe ges innau'r pleser o fynd efo nhw fwy nag unwaith. Roedd un o ffrindiau Ioan yn byw mewn tref o'r enw Dingwall, i'r gogledd o Inverness ac mae'n ardal sy'n gwybod beth ydy eira! Gan hynny, nid syniad rhy glyfar oedd 'picio' ar draws gwlad tua'r gorllewin i Kyle of Lochalsh a hynny ar ddydd Calan. Ond fu tywydd a phetha felly erioed yn poeni Ioan pan fydda 'na ffrindiau i ymweld â nhw.

Mi gyrhaeddon ni Kyle yn ddigon didrafferth. Awr neu ddwy yn fan'no yn mwynhau ein hunain ac Alwena, os cofiaf yn iawn, yn cael y cwestiwn mwyaf anhygoel – oedd hi wedi syrthio oddi ar bot jam? Cyfeirio at ei gwallt du cyrliog yr oedd y brawd. Roedd geiriau felly'n ddoniol yn y saithdegau.

Yn ôl â ni am Dingwall. Taith o ryw 70 milltir dros fynydd-dir anial. A dyma hi'n dechrau bwrw eira – yn drwm. Fi oedd yn gyrru'r Morris Marina melyn, gyriant olwyn ôl – anobeithiol mewn eira. Fûm i erioed mor falch o weld arwydd 'Achnasheen' y diwrnod hwnnw. Oddi yno tua Strathpeffer roedd hi lawr allt a'r tywydd yn gwella.

Do, mi ddois i hoffi'r Alban yn fawr, diolch i Ioan a Chaeredin yn arbennig. Un ffynnon boblogaidd yno oedd gwesty'r West End ar nos Sul lle ceid offerynwyr yn ymgynnull i ddiddori eu hunain ac yn eu plith Malcolm Jones, aelod o'r grŵp 'Run Rig'.

Mi fyddem hefyd wastad yn gwneud bî lein am yr Half Way House. Bar bychan, bach eithriadol ydy hwnnw ond ei leoliad, nid ei faint, oedd yr atyniad. Yn y dyddiau hynny roedd o yn nrws cefn papur yr *Evening News* ac o ganlyniad yn llawn newyddiadurwyr a Ioan, wrth gwrs, yn adnabod rhai ohonyn nhw. Na, doedd y newyddion ddim ymhell pan fyddech yng nghwmni Ioan Roberts.

Mi gawsom ni'n dau ein siâr o eira yn Nghaerdydd hefyd! Gaeaf caled 81/82 a Chaerdydd ar stop bron. Roeddwn i'n byw yn ddigon agos i HTV i fedru cerdded adra pan syrthiodd y flanced fawr wen yn gwbl ddisymwth rhyw ddiwrnod. Roedd Ioan eisiau cyrraedd uchelfannau Pontypridd a phan gyrhaeddodd o Graigwen yn un o gerbydau 4x4 anferth HTV roedd ei gymdogion wedi rhyfeddu.

Gyda dyfodiad S4C daeth *Y Dydd* i ben ym 1982. Aeth Ioan i'r BBC am sbel a finna at Wil Aaron ac Alun Ffred yn Ffilmiau'r Nant. Buan iawn y dilynodd Ioan, yn bennaf i gydolygu *Hel Straeon* efo William Owen. Ond bu'n cyfrannu at gyfresi eraill hefyd – fel *Almanac*, oedd yn gyfuniad o ddrama a dogfen yn seiliedig ar straeon gwir.

Roedd Ioan yn hoff o weithio efo Wil Sam. Pa syndod! Cofiaf yn dda i'r ddau fynd i 'ymchwilio' i 'Werddon ar gyfer *Almanac* arall, '*O D'weiliog i D'wyllwch*'. Hanes dau o hogia Tudweiliog yn colli rhwyf wrth hel cewyll cimychiaid oedd honno. Bu Jac Wenallt a Tomi Gwelfor yn drifftio am bron i ddeuddydd nes cyrraedd, trwy ryw drugaredd, Kilkeel yng Ngogledd Iwerddon. Yno yr aeth Wil a Ioan a chael croeso twymgalon, Ioan yn enwedig, gan hen wraig

O D'weiliog i D'wyllwch – dyma'r cwch!

oedd yn cofio'r achlysur nôl ym 1933. Roedd hi'n argyhoeddedig mai Tomi Gwelfor oedd Ioan! Pleser i mi oedd cael cyfarwyddo'r ddrama fach honno, fel yn wir yr *Almanac* 'sgrifennodd Ioan am danchwa Tŷ Newydd yn Porth, y Rhondda ym 1877. Hon oedd yr unig *Almanac* a wnaethpwyd oedd yn rhaglen awr. Drama am achub pump o lowyr oedd hi ar ôl i ddŵr o bwll cyfagos gaethiwo'r glowyr dan ddaear am ddeng niwrnod. Anghofia i fyth yr Ian Staples ifanc yn holi William Huw Thomas, ei gyd actor: 'George, ga i f'yta cannw'll'? Un o linella gorau, a byrraf Ioan. Buom yn Big Pit, Blaenafon am bythefnos yn ffilmio *Tanchwa Tŷ Newydd* a do, mi fu'n bwrw eira yn y fan honno hefyd. Ond wrth lwc roeddem ni o dan ddaear pan oedd y tir ar ei wynnaf!

Fuom ni ddim mor lwcus, fodd bynnag, ar daith arall i'r Alban. Anelu am Dingwall ar hyd yr A9 roedden ni unwaith eto. Ond roedd y ffordd wedi cau i'r de o Aviemore. Y giât ar draws y ffordd a'r arwydd yn dweud nad âi hyd yn oed Ioan Roberts ddim cam ymhellach na Dalwhinnie. Aros yn Pitlochry fu rhaid gan anfon cerdyn post i swyddfa'r *Cymro* ac arno bwt o gywydd yn adrodd yr hanes:

Aethom hyd at Blair Atholl,
Tr'eni oedd, bu'n rhaid troi nôl.

Doedd o mo'r cywydd gorau 'sgrifennais i erioed ond byddai Ioan wastad yn dyfynnu'r cwpled olaf am ryw reswm!

Un cur a ddeil yn y co'
Yw hemroids boi o'r *Cymro*.

Oedd, roedd yr hen Io Mo yn dioddef yn yr oerfel. Ond mi wellodd yr anhwylder, ynghyd â'm cynganeddu innau, gobeithio!

Y mae eira tymhorol – rhyw gawod
    ar gaeau Llwynhudol
  yn dwyn gwên o'r gorffennol;
  heddiw'n wyn yw ddoe yn ôl.

Cymro tanbaid â'r gallu i ffrwyno

Arfon Gwilym

Digwyddodd rhywbeth digon rhyfedd i mi yn sgil y newydd hollol annisgwyl am farwolaeth Ioan. O fewn ychydig funudau i glywed y newydd daeth un o ohebwyr y BBC ar y ffôn yn gofyn am ymateb. Dan yr amgylchiadau, amhosib oedd hel cant a mil o feddyliau at ei gilydd yn gryno a synhwyrol, ond cofiaf yn glir i mi ddweud 'Roedd Ioan yn un o'r newyddiadurwyr gorau a gafodd *Y Cymro* erioed.' Ymhen awr neu ddwy digwyddais glywed un o'r bwletinau newyddion yn fy nyfynnu: 'Yn ôl Arfon Gwilym, Ioan Roberts oedd un o'r newyddiadurwyr gorau a gafodd Cymru erioed.'

Wel, efallai fod peth gwir yn y gosodiad hwnnw hefyd. Gadawaf i bobl llawer mwy cymwys na fi farnu, er dwi'n amau y byddai Ioan ei hun yn bur anghysurus o'i glywed. Person diymhongar iawn oedd o yn y bôn – ond ar yr un pryd, yn dawel bach, byddai'n ddigon balch o gael cydnabyddiaeth am y cyfraniad a wnaeth i bapur newydd *Y Cymro*. Ar y papur wythnosol hwnnw, gyda'i bencadlys yng Nghroesoswallt, ar ddiwedd y 60au a hanner cyntaf y 70au, y bwriodd Ioan ei brentisiaeth. Roedd yn fythol ddiolchgar i'r Golygydd ar y pryd, Llion Griffiths, am gynnig y swydd iddo, a'i achub rhag gyrfa tipyn llai diddorol ym maes peirianneg sifil!

Y gwir yw bod y penodiad wedi newid cwrs ei fywyd. Yn llanc ifanc yn ei ugeiniau, go brin bod llawer o brofiad newyddiadurol ar ei CV, ond mae'n rhaid bod Llion Griffiths wedi gweld rhywbeth yn y bachgen ifanc. Penderfynodd roi ei ffydd ynddo, ac fe dalodd hynny ar ei ganfed, oherwydd roedd Ioan yn newyddiadurwr wrth reddf. Roedd ganddo sawl rhinwedd hanfodol i newyddiadurwr da – trwyn am stori, stôr o gysylltiadau ymhell ac agos, cof anhygoel, a dawn arbennig i ysgrifennu'n glir a chryno, mewn Cymraeg naturiol a graenus. Wrth feithrin cysylltiadau y gallai alw arnynt pryd bynnag roedd angen, mantais fawr Ioan oedd fod pobl yn cymryd ato mor hawdd, gyda'i bersonoliaeth glên a chyfeillgar.

Gallwn ychwanegu un ddawn arall hefyd – y ddawn i gyfleu stori neu ddatgan barn yn deg a chytbwys, gydag elfen o wrthrychedd. Bu Ioan yn Gymro tanbaid ar hyd ei oes, ond ym merw gwleidyddol y 60au a'r 70au, yng nghanol y dadlau poeth am ddatganoli a dyfodol yr iaith, fel newyddiadurwr proffesiynol roedd angen ffrwyn ac roedd angen disgyblaeth. Efallai mai yn erthyglau golygyddol *Y Cymro* y gwelir y ddawn honno ar ei gorau (ni fyddai enw neb yn ymddangos o dan y rheiny): erthyglau oedd yn amlygu meddwl praff, yn gwbl gadarn eu safbwynt ond yn gwbl resymol yr un pryd.

Datblygodd Ioan i fod yn brif ohebydd y papur ar faterion gwleidyddol (er na chafodd erioed deitl o'r fath). Un cysylltiad allweddol o werthfawr oedd ganddo oedd Dafydd Wigley, gŵr y bu'n rhannu fflat ag ef yn ystod ei gyfnod ym Mhrifysgol Manceinion. Hawdd yw dychmygu fod gweledigaeth genedlaethol Wigley ar gyfer Cymru wedi dylanwadu ar Ioan: y math o weledigaeth lle roedd yn rhaid ymestyn allan o'r Gymru Gymraeg wledig, draddodiadol.

Does ond angen bwrw golwg fras dros dudalennau'r *Cymro* i weld hyn. Ym misoedd cyntaf 1974, er enghraifft, dyma rai o'r erthyglau y gwelir enw Ioan wrthynt. Mae'n werth dyfynnu ambell baragraff agoriadol, dim ond er mwyn dangos dawn gwbl arbennig Ioan i hoelio sylw'r darllenydd a'i orfodi i ddal ati i ddarllen:

- **Portread cignoeth o Bwll Glo Maerdy:**
  'Roedd gan John Stokoe un dymuniad wrth fy nhywys ar hyd talcen G3: tywys Edward Heath ar hyd yr un trywydd. 'Tai e'n dod lawr fan hyn gyda fi, fydde fe fawr o dro yn newid ei agwedd.' Roedd hi'n daith o 150 llath, a'r unig ffordd o deithio oedd ar eich bol. Yr uchder arferol oedd dwy droedfedd a naw modfedd; y to isaf a welodd John erioed oedd un droedfedd 8 modfedd. Rhaid crafangio'n igam-ogam o amgylch y propiau sy'n cynnal y to, ac ymwthio dros ben jaciau sydd ar eu gorwedd. Mewn rhai mannau diflanna'ch dwylo mewn triog trwchus o ddŵr, llwch glo ac olew – stwff y mae'n rhaid i löwr orwedd yn ei ganol wrth weithio. 'Ry'n ni wedi hen arfer,' meddai John. 'Ry'n ni fel blydi anifeiliaid.'

- **Sgwrs gyda Bert Pearce**, Ysgrifennydd Cymreig y Blaid Gomiwnyddol, o dan y pennawd 'Sarhad ar lowyr Cymru yw sôn am y 'cochion dan y gwely'.

- **Portread o George Reid**, Aelod Seneddol newydd Clackmannan a Dwyrain Stirling dros yr SNP – gŵr a ymaelododd â'r SNP dim ond blwyddyn ynghynt.

- **Stori (tudalen flaen) 'Hirwaun i fyw neu farw?'** am y bygythiad i adeiladu cyfres o danciau nwy yn y pentref:

'Mae'r sied lle bu'r picedwyr yn ymgynnull drwy'r dydd, bob dydd ers naw mis, yn sefyll yng nghysgod Mynydd Cefn Esgyrn. Yno, medd y bobl leol, yr ymladdodd Rhys ap Tewdwr, brenin y Deheubarth, frwydr ffyrnig yn erbyn y Normaniaid, nes bod Nant yr Ochain, rhwng Hirwaun a Rhigos, yn goch gan waed. Fe glywais y stori gan y rhan fwyaf y siaradais â hwy mewn deuddydd ymhlith pobl Hirwaun. Fel petai ysbryd rhyfelgar y gorffennol yn cael ei ailennyn yn y frwydr i gadw tanciau nwy ... o'r pentref.'

• **Portread o Gwilym Prys Davies**, yn dilyn ei benodiad yn gynghorydd personol i Ysgrifennydd Gwladol Cymru, John Morris.

• **Portread o Aneurin Rhys Hughes**, un o uchel swyddogion y Farchnad Gyffredin ym Mrwsel, o dan y teitl pryfoclyd 'Dr Sharkov – Rwsiad o Landŵr a gollodd ei wallt yn Los Angeles'.
'Colli ei wallt yn Los Angeles yn ddeunaw oed, creu braw i'r Awyrlu yn Aberporth, dod yn Llywydd Undeb Myfyrwyr Prydain, cyfarfod Che Guevara a Fidel Castro, cadw golwg ar fudiadau'r chwith yn yr Eidal ar ran Llywodraeth Prydain: dim ond rhai o'r cerrig milltir ym mywyd cyffrous Aneurin Rhys Hughes, Cymro Cymraeg o Landŵr, Abertawe.'

• **Portread o Richard Booth, y Gelli Gandryll**. 'Cyfarfod dyn mawr blêr ei ddillad a gwyllt ei wallt sy'n cadw'r siop lyfrau ail-law fwyaf yn y byd.'

Yn ddiweddarach yn yr un flwyddyn ymddangosodd cyfres o erthyglau yn adrodd stori ryfeddol llongddrylliad a fu gerllaw Aberdaron yn 1901 sef y *Stuart*. Erthyglau gwahanol iawn i'r rhai a nodwyd eisoes, ond y math o stori y byddai Ioan yn ei elfen yn ei hadrodd. Gellid dyfynnu llawer mwy, wrth gwrs, ond mae'r detholiad bach yna'n ddigon i ddangos pam bod amryw byd o ddarllenwyr *Y Cymro* yn y cyfnod hwnnw yn edrych ymlaen yn eiddgar at brynu'r papur o wythnos i wythnos.

Wrth gwrs, ar lefel bersonol ni allaf wahanu Ioan y newyddiadurwr oddi wrth Ioan y cyfaill a'r cwmnïwr diddan, yr 'hen foi iawn' yr oedd yn bleser bod yn ei gwmni bob amser ac a allai adrodd hanesion, un ar ôl y llall, heb fyth eich diflasu. Gwell bodloni ar ddwy stori fach sydd yn werth eu rhannu:

Wrth rannu un o deithiau Ioan ac Alwena yn Iwerddon, mewn neuadd bentref yr oeddem lle'r oedd dawns ac adloniant wedi ei drefnu, a phawb wedi eu gosod i eistedd mewn cylch mawr o amgylch y neuadd. Rywbryd tua hanner ffordd drwy'r noson, cyrhaeddodd y bwyd: tatws drwy'u crwyn i bawb, a dyma ddechrau eu rhannu bob yn un. Fel pawb arall, derbyniodd Ioan ei daten a chymryd y brathiad cyntaf. Anghofia i byth mo'r olwg ar ei wyneb – taten amrwd gafodd o! Cawsom i gyd ffit aflywodraethus o chwerthin. Methu'n lân a rhoi stop ar y chwerthin. Cywilydd!

Sâl môr!

Digwyddodd yr ail stori mewn Eisteddfod gymharol ddiweddar, ar y maes carafanau. Roedd hi'n hwyr y nos, a Sioned a minnau wedi gosod y gwely allan yn y garafán ac wedi clwydo. Toc dyma gnoc ar y drws: Ioan, yn amlwg mewn hwyliau da ar ôl noson yn rhywle. A dyma'i wadd i mewn. Eisteddodd ar waelod y gwely, ac yno y buom yn dal pen rheswm am amser maith. Ond toc, a hithau bellach yn berfeddion nos, dyma'n gwestai, os gwelwch chi'n dda, yn rhoi ei ben i lawr yn y fan a'r lle a chysgu. Dyma geisio ei ddeffro, ond i ddim diben, roedd o mewn trwmgwsg go iawn! Be' ddylen ni wneud? Oedd Alwena allan yn rhywle yn chwilio amdano, neu yn ei charafán yn poeni? Ond doedd gennym ddim syniad ymhle roedd ei charafán ac roedd hi'n afresymol o hwyr i ddechrau holi o gwmpas carafanau eraill. Roedden ni mewn picil go iawn, ond yn methu peidio â chwerthin yr un pryd. Y penderfyniad oedd ei adael yno (wel, pa ddewis arall oedd mewn gwirionedd?) a cheisio cysgu â'n pengliniau mor agos i'n ceseiliau â phosib. Doedd hi ddim yn noson arbennig o gysurus, ond doedd dim ots – roeddem wedi cael modd i fyw! Ffarwelio yn y bore, a doedd neb ddim gwaeth.

A dyna pam y bydd pawb ohonom yn cofio Ioan gyda gwên, er gwaetha'r loes o'i golli.

Y Gwyddel Cymraeg

Dylan Iorwerth

Ro'n i wedi clywed amdano fo, ymhell cyn ei nabod. I newyddiadurwr ifanc, Cymraeg, roedd y geiriau 'Io Mo' yn chwedl. Efallai nad o'n i'n siŵr ai person neu ffenomenon oedd yn berchen ar enw o'r fath. Ond mi ddes i wybod. Ffenomenon o newyddiadurwr.

Roedd ffrindiau ar *Y Cymro* yn sôn amdano fo efo edmygedd, am ei allu sgrifennu, ei ddyfeisgarwch a'r ffaith ei fod o'n 'foi iawn.' Doedd dim clod uwch i'w gael. Roedd ffrindiau a fu'n gweithio efo fo ar y rhaglen newyddion ddyddiol, anturus *Y Dydd* yn canmol yr un rhinweddau, yn ogystal â'i natur wrthryfelgar, ddi-hid at awdurdod ... gan gynnwys ambell i stori dablennaidd, fabinogaidd fawr.

Yn 1987 y ces i fy unig gyfle i weithio'n agos efo Ioan a hynny oherwydd ei bod yn 25 mlynedd ers i Saunders Lewis draddodi'r ddarlith *Tynged yr Iaith*. Ni, am ryw reswm, a gafodd y dasg o wneud gwaith ymchwil ar gyfer rhaglen epig i nodi'r achlysur. Does gen i fawr o go o'r rhaglen ei hun, ond wna i ddim anghofio'r oriau yng nghartre Ioan ac Alwena yn y Graigwen, Pontypridd ... y croeso a'r sgwrsio a'r hwyl. Dwn i ddim a roeson ni'r iaith yn ei lle, ond mi gafodd y byd ei sodro sawl tro.

Ar ôl blynyddoedd o ohebu a gwylio, roedd gan Ioan gyfoeth o straeon parchus ac amharchus am bobl o bob math. Amharchus yn amlach na pheidio. Y tu ôl i'r cyfan, roedd anian hynod Ioan ei hun; y creadur annibynnol, anystywallt weithiau, efo'r sylwadau craff a'r chwerthiniad mawr.

Y tu allan i'r tŷ, roedd yna 'garafán-wedi'i-gwasgu' – hynny ydi, sylfaen carafán ond efo'r rhan ucha'n debycach i babell, yn cael ei chodi o'r trelar. Yn honno y byddai Ioan ac Alwena'n mynd ar wyliau cyson i Iwerddon. A dyna'r pwynt, Gwyddel Cymraeg oedd Ioan. O ran ei liw a'i wedd, ac o ran ei gariad at stori a gwreiddioldeb, mi allai ffitio'n berffaith mewn tafarn yn Nulyn neu ar gwch pysgota ar y môr yn Dingle. Ac roedd ei hiwmor yn Wyddelig hefyd yn licio rhyw ddigwyddiadau bach hynod a throeon ymadrodd annisgwyl.

Yn y dyddiau pan oedd yn gweithio ar *Y Cymro*, roedd o wedi byw ar gyrion y Rhos – Rhosllannerchrugog, wrth reswm – ac yn hoff o ddweud stori am gymeriad oedd yn byw wrth ei ymyl. Hwnnw, er eu bod o fewn dau ganllath i ffiniau'r Rhos ei hun, yn dweud yn bendant ei fod yn casáu ei thrigolion. A phan ofynnodd Ioan pam, yr ateb oedd 'Lot rhy blwyfol, uffen.'

Mi liciwn i allu cofio rhagor o'i straeon ond yr hyn sy'n aros ydi wyneb Ioan wrth eu dweud nhw ... y llygaid yn pefrio a'r arddeliad yn ei lais. Roedd o'n newyddiadurwr da oherwydd ei fod yn licio pobol ac yn eu nabod nhw. Y tu ôl i'r hwyl, roedd yna graffter mawr. Doedd o ddim yn licio nonsens o unrhyw fath. Roedd o'n gweld trwy ddiffyg diffuantrwydd ac, yn wahanol i lawer ohonon ni, yn fodlon ei herio hefyd. Yn enwedig ar ôl peint neu ddau.

Dyna pam, os oedd yna rinwedd yn y rhaglen honno, i Ioan roedd y diolch. Roedd ganddo fo'r gallu i fynd at hanfodion pynciau, yn hytrach na'r arwynebol hawdd. A doedd dim lle i 'falu cachu.' Roedd angen chwilio am bethau oedd yn dod â'r ymchwil yn fyw.

Yng nghyfnod y rhaglen honno gwnaeth Ioan ac Alwena fabwysiadu Sion. A dyna pryd y gwelais i dynerwch Ioan a'i gariad a'i deyrngarwch at ei deulu. Ac wedyn yr ail lawenydd ... geni Lois.

Yr un teyrngarwch ac anwyldeb oedd yn cadw ffrindiau'n ffrindiau. Ond, yn y byd personol hwnnw, doedd dim modd meddwl am Ioan heb feddwl am Alwena hefyd. Hi oedd yn cadw trefn arno fo mewn sawl ffordd gan ddangos yr un agwedd ddi-lol tuag ato fo ag yr oedd yntau'n ei dangos i'r byd.

Chawson ni ddim cyfle i gydweithio o ddifri wedyn a dim ond yn ysbeidiol y bydden ni'n gweld ein gilydd. Ond roedd y wên yn llydan bob tro a'r cyfarchiad yn gynnes. Yn fwy na hynny, roedd y sgwrs yn cydio ar ei hunion – arwydd bob tro o gymeriad hael.

Un o'r pethau roedd newyddiadurwyr eraill wedi ei ddweud am Ioan yn y blynyddoedd cynnar oedd fod ganddo, yn ogystal â thrwyn da am stori, lygad da am lun a chynllun tudalen. Yn nyddiau Graigwen y des i wybod am ei allu efo'r camera ac edmygu rhai o'r ffotograffau trawiadol yr oedd o wedi'u tynnu.

Mi ddaeth y cariad at luniau i'r amlwg yn y blynyddoedd diwetha wrth iddo fo olygu cyfrolau o luniau ei hen gyd-weithiwr Geoff Charles a sgrifennu cofiant i'r ffotograffydd Cymraeg enwoca o'r cyfan, Philip Jones Griffiths. Yn y cyfrolau hynny, mae'r llygad a'r trwyn yn un – yn y dewis o luniau sy'n gampweithiau bach ynddyn nhw eu hunain, ond hefyd, yn cynnwys stori. Ac mae'r darnau i gyflwyno'r lluniau, fel y cofiant, yn dangos ei Gymraeg naturiol, ystwyth, clir a'i allu i daro'r hoelen, efo dechrau trawiadol i bennod neu ddiwedd sy'n gyforiog o ystyr ac addewid.

Mi fydd ei straeon yn *Y Cymro* a'r toreth o lyfrau y

buodd o ynglŷn â nhw yn cadw'r cof o'i grefft a'r ffenomenon newyddiadurol; yng nghalonnau ei deulu a'i ffrindiau y bydd y cof am y cymeriad.

Lansio llyfr Eistedfodau Geoff Charles
yng nghwmni Andrew Green y Llyfrgellydd

Nid un o'r Sefydliad

Tweli Griffiths

Fe gychwynnodd Ioan a minnau ar yr un diwrnod ar raglen *Y Dydd* ym mis Mai 1977. Y fi yn gyw-ohebydd hollol ddibrofiad, yn syth o'r coleg, a Ioan yn fòs arnaf fel Golygydd newydd y rhaglen. Roedd yn dipyn o naid i'r ddau ohonom. I Ioan, roedd yn fyd hollol wahanol i'w swydd flaenorol fel newyddiadurwr papur newydd, ond diolch byth ei fod yno, gan mai ganddo fe y cefais y cyngor, arweiniad, a hyfforddiant newyddiadurol fyddai'n sail mor werthfawr i weddill fy ngyrfa. Doedd gan HTV Cymru, y dyddiau hynny, ddim cynlluniau hyfforddiant ffurfiol. Os oeddech chi'n cael eich ystyried yn gymwys i wneud y job, yna roedd disgwyl i chi ddysgu wrth wneud y job hwnnw, o ran newyddiaduraeth, a sgiliau teledu. Dros gyfnod o bum mlynedd, Ioan oedd fy athro ar un o grefftau pwysicaf newyddiaduraeth, sef sybio. Crynhoi, mewn cyn lleied o eiriau â phosib, tomen o wybodaeth i fersiwn syml a dealladwy i wylwyr fuasai ond yn clywed y geiriau unwaith. Mae'n grefft na ellir ei meistroli yn drylwyr heb gyfnod hir o ysgrifennu straeon newyddion a sgriptio eitemau. Diolch byth fod pob gair fase'n dod o fy nheipiadur i'n cael ei ddarllen a'i gywiro gan Ioan. A chan nad oeddwn i wedi astudio'r Gymraeg ers lefel 'O' yn yr ysgol, roedd safon fy iaith ar gyfer darlledu yn ddigon simsan a diffygiol. Roedd cywiro hwnnw hefyd yn rhan o waith Ioan. Diolch i'w

Un o gyfarfodydd tim Y Dydd a Report Wales:
â'i gefn at y camera: Alan Rustard, Ioan, Tweli Griffiths,
Vaughan Hughes, Gwilym Owen, Emlyn Lewis, Huw Ll. Davies,
Bob Symmonds, Ron Lewis, Max Perkins a Stuart Leyshon.

ddawn ysgrifennu, ei adnabyddiaeth o Gymru, yn ddaearyddol, yn hanesyddol, ac o'i phobl, cefais fy nhrwytho mewn cymaint o elfennau ar Gymreictod oedd tan hynny wedi bod braidd yn ddierth i fi.

Roeddwn yn weddol gyfforddus yn darlledu'n fyw o'r stiwdio ar y cychwyn, tan i mi ddeall sut yn union roedd popeth yn dod at ei gilydd, a'r potensial y gallai rhywbeth fynd o'i le. Ac yn wir, roedd *Y Dydd*, a'i chwaer raglen, *Report Wales*, yn frith o 'gocyps' technegol. Y gwaetha gefais i oedd cyflwyno'r rhaglen un tro, heb i unrhyw ddarn o ffilm gyrraedd yr adran drosglwyddo. Wedi darllen yr ychydig straeon oedd gen i ryw deirgwaith, mi gyhoeddais y buaswn yn adrodd 'Y Border Bach' gan Crwys petawn yn ei gofio. Roedd ymateb Ioan i ddigwyddiadau fel hyn yn athronyddol, yn arbennig yn ystod y cwest yn y clwb wedi'r rhaglen. Dros beint o Guinness byddai'n dweud, 'A wel, dyna ni. Rhaid bod yn barod i dderbyn ambell gamgymeriad.'

Roedd ystafell newyddion HTV Cymru yn ddwyieithog. Gweithiai staff *Y Dydd* ochr yn ochr â staff *Report Wales*. Wrth reswm, roedd cydweithio agos yn allweddol i'r cyfan lwyddo ac roedd cymaint yn dibynnu ar y berthynas rhwng dau ddyn yn arbennig, oedd yn wynebu ei gilydd ar draws eu desgiau mewn un ystafell fechan bron drwy'r dydd. Un o'r rheiny oedd Ioan, a'r llall oedd Golygydd *Report Wales*, Stuart Leyshon. Roedd Stewart yn gymeriad hoffus a doniol o Sgiwen ger Castell-nedd. Roedd ganddo'r un ddawn ysgrifennu â Ioan, a newyddiaduraeth a dealltwriaeth o stori yn llifo drwy ei wythiennau. Er na fedrai'r Gymraeg, roedd yn feistr ar 'Leyshoneg', sef ei gyfieithiadau unigryw o ymadroddion Saesneg i'r Gymraeg, megis 'tarw cachu', ac ambell i lein o farddoniaeth fel 'Ach y fi yw cachu ci yn y cantin HTV'. Roedd yn fendith i'r gwasanaeth newyddion fod y ddau olygydd wrth eu bodd yng nghwmni ei gilydd. Cwm Nedd a Llŷn yn cyd-dynnu'n berffaith.

Dywedwyd yn angladd Ioan nad oedd e'n 'ddyn cwmni'. Doedd Stu ddim chwaith, ac ar fwy nag un achlysur, safodd y ddau yn gadarn yn erbyn ambell i ymgais oddi uchod i ddylanwadu ar gynnyrch ein newyddion. Go brin fod unrhyw un o'r tîm newyddion, a dweud y gwir, yn 'berson cwmni'. Y peth pwysicaf inni i gyd oedd cyflawni ein swyddogaethau mewn ffordd mor broffesiynol â phosib, a chael gymaint â phosib o sbort wrth wneud hynny hefyd. Roedd Ioan wrth ei fodd felly, o gael y cyfle i weithio mewn awyrgylch o'r fath. Roedd y di-Gymraeg yn yr adran yn ei barchu lawn gymaint â staff *Y Dydd*.

Yn y cyfnod a arweiniodd at sefydlu S4C, roedd 'na dipyn o bryder ymysg rhai gwleidyddion y byddai'r sianel newydd yn arf bropaganda i genedlaetholwyr. Ac er bod nifer o genedlaetholwyr pybyr, gan gynnwys Ioan, ar staff HTV Cymru, wnaethon ni ddim cyfaddawdu wrth wneud ein gwaith, gan anelu bod yn gwbl deg a gwrthrychol wrth baratoi'r newyddion. Ac yn wir, yn fuan iawn wedi sefydlu'r Sianel, daeth yn amlwg i'r gwleidyddion hynny fod eu hofnau wedi bod yn gwbl ddi-sail. Gyda dyfodiad y Sianel, daeth *Y Dydd* i ben. Arhosodd rhai ohonom gyda'r cwmni i wneud rhaglenni materion cyfoes; aeth eraill, Ioan yn eu mysg, i gyfeiriadau newydd.

Roeddwn wrth fy modd o gael ei gwmni unwaith eto ar fwy nag un achlysur pan fu'n gweithio fel ymchwilydd llawrydd i'r *Byd ar Bedwar*, ac yn arbennig ei gyfraniad allweddol i raglen yn 2002, yn nodi ugain mlynedd ers Rhyfel y Falklands. Diolch i'w adnabyddiaeth o'r Wladfa, a'i dwrio manwl i effeithiau'r rhyfel yno, llwyddodd Ioan i brofi mai pedwar milwr o dalaith Chubut fu farw ar flaen y gad yn y rhyfel hwnnw, a bod un ohonyn nhw, Ricardo Andres Austin, yn ddisgynnydd uniongyrchol i un o'r Cymry cyntaf a aeth i Batagonia ar fwrdd y *Mimosa*.

Gwnaeth Ioan gyfraniad enfawr i newyddiaduraeth Cymru, ar draws ystod eang o gyfryngau oedd yn cynnwys y wasg, llyfrau, radio, a thoreth o raglenni teledu ffeithiol. Dim ond am gyfnodau cymharol fyr o'i yrfa fe a minne y buon ni'n gweithio 'da'n gilydd, ond yn fy achos i, y cyfnod cyntaf hwnnw ar *Y Dydd* oedd y mwyaf allweddol yn fy ngyrfa, ac i Ioan mae'r diolch am hynny.

Fy ngolygydd cynta

Meic Birtwhistle

Wrth eistedd mewn capel ym mherfeddion Eifionydd yn llawn o enwogion y mudiad cenedlaethol dyma fi'n meddwl, pam 'mod fi yma ar fore oer ond heulog? Roedd yna deyrngedau digri a difrifol am y dyn arbennig yma ac ro'n i yno yn gwrando ar hyn i gyd. Er na fyddwn i a Ioan yn cwrdd yn amal bellach, eto, fe oedd fy ngolygydd cyntaf.

Newydd landio job fel ymchwilydd gydag HTV Cymru o'n i – newyddiadurwr dan hyfforddiant. Dechrau ar unwaith! Rhyw chwe mis oedd yna cyn i'r sianel Gymraeg gael ei lansio a rhaid oedd creu gwasanaethau newyddion a materion cyfoes ar gyfer y greadigaeth newydd. Felly, dyma fi'n cyrraedd fy ngweithle newydd ym Mhontcanna Caerdydd wedi blynyddoedd mewn colegau yn Abertawe ac Aberystwyth. Dim profiad o newyddiadura, heblaw cwpwl o erthyglau mewn cylchgronau prifysgol – er bod fy nhad a 'nhad-cu yn y proffesiwn yn Lloegr.

Roedd rhai o'r hacs yn edrych ychydig bach yn amheus arnon ni, y cywion, rhaid gweud, ac roedd pob cyfiawnhad gyda nhw i wneud! Doedd yr un o'n criw ni wedi bwrw prentisiaeth ar bapurau lleol. Ar ben hyn i gyd dyma ni'n troi lan adeg Rhyfel y Falklands. A hynny gyda chriw HTV wedi cael eu harestio gan awdurdodau milwrol yr Ariannin ar gyhuddiad ffals o sbïo yn nhalaith Chubut! Ond er gwaethaf hyn i gyd a'n diniweidrwydd a'n diffyg profiad roedd 'na groeso i ni. Ac yn bendant oddi wrth Ioan.

Dyma brofi ychydig o gyffro'r stafell newyddion a stafelloedd torri. Gweld Ioan wedyn yn bwrw ati o ddifri ac yna ... yn ein harwain i'r clwb am beint i ddadansoddi'r storïau, i drafod gwleidyddiaeth ac i ddysgu cymdeithasu. Ro'n i wedi clywed am y rhan bwysig yma o'r proffesiwn gan fy nhad, cofiwch.

Roedd Ioan yn un o'r dynion hynny nad oedd yn ofni datgan ei farn nac yn ofni anghytuno gyda'i reolwyr – gwers bwysig arall i ni fel darpar newyddiadurwyr. I fod yn deg, roedd HTV fel sefydliad yn lle llai hierarchaidd na'r BBC bryd hynny ac yn fwy parod i glywed barn ei staff. Ac yn y traddodiad allweddol yna, i Ioan roedd yr undeb a'r frawdoliaeth/ chwaeroliaeth yn bwysig, i'n hamddiffyn ni fel criw ond hefyd fel tarian i'n hawtonomi newyddiadurol.

Erbyn i fi dderbyn fy mathodyn NUJ roedd Ioan wedi gadael HTV. HTV wnaeth ennill y cyfrifoldeb am faterion cyfoes ar S4C tra bod Y Bib wedi cael y newyddion, ac roedd *Y Dydd* felly, rhaglen Ioan, yn dod i ben. Yn ôl un stori roedd Ioan yn cael ei weld fel boi y stafell newyddion, ond yn ôl eraill, roedd e'n rhy annibynnol ei farn i rai o'r uwch-reolwyr! Beth bynnag, gwnaeth ein llwybrau ymwahanu.

Byddwn i'n ei weld o dro i dro dros y blynyddoedd, er enghraifft pan o'n i'n gweithio i'r Ŵyl Ffilm Geltaidd yn ysblander adfeiliedig, bryd hynny, Plas Dinefwr, Llandeilo, lle'r oedd gan *Hel Straeon* ei swyddfeydd. Ond yn ystod pen-blwydd priodas arwyddocaol fy ffrindiau Gareth a Gina Miles yn Nant Gwrtheyrn halon ni ddiwrnod bendigedig yng nghwmni Ioan ac Alwena o dan amgylchiadau hynod hapus mewn lleoliad eithriadol yn ei Lŷn annwyl. Fe drafodon ni tan yr oriau mân wleidyddiaeth, ein diwydiant a'r Gaeltacht yn Contae Chiarraí.

Rhyw fis cyn iddo farw ffonies i fe er mwyn cael sgwrs am syniad oedd 'da fi, eisiau pigo ei frêns am wleidyddiaeth y Wladfa yn sgil ei lyfr am Gymru a Rhyfel y Falklands. Wrth gwrs, medde fe, bydde fe'n dwlu cwrdd i rannu ei ychydig wybodaeth am y pwnc, yn ddiymhongar fel arfer! Ond roedd e jest yn gorffen llyfr a oedd i fod fynd at y cyhoeddwyr ar frys. (Nid cyfle i ddiogi wrth ymddeol oedd arwyddair amlwg y newyddiadurwr hwn.) Cyfarfod mewn ychydig oedd y trefniant. Ond ni ddigwyddodd hynny wrth gwrs. Sioc.

Yn ystod y teyrngedau yn y capel fe glywes sut roedd Ioan wedi dod at newyddiaduraeth ar ôl dechre gyrfa arall – ychydig yn debyg i fy hanes i. Ac roedd 'na deimlad aruthrol o siom yn yr angladd fy mod i wedi colli cyfleon droeon i gael sgyrsiau difyr a dwys gyda'r dyn eangfrydig ac angerddol yma a hynny ar gyment o bynciau. Syndod i fi, fel boi y Blaid Lafur, oedd clywed am ei holl waith gyda Phlaid Cymru!

Yn y 'wake' yn Nefyn – un anhygoel o hapus – ces siawns i ddala lan gyda llawer o'm cydweithwyr a gwragedd o ddyddiau HTV. Roedd e fel aduniad o'r hen adran. Ond y peth pwysicaf oll, ar ran ei gymrodyr, oedd rhoi cwtsh a bathodyn Undeb y Newyddiadurwyr i Alwena. A gwnaeth hi chwerthin wrth ei dderbyn.

Un *a adawodd ei farc*

Menna Thomas

Roedd y cannoedd o gyfeillion a ddaeth ynghyd i ffarwelio â Ioan, a hynny o bob rhan o Gymru a thu hwnt, yn arwydd clir ei fod wedi gadael ei farc ar bob cymuned y bu'n rhan ohoni dros y blynyddoedd.

Yn sicr, fe fu e'n un o hoelion wyth y gymdeithas Gymraeg ym Mhontypridd yn ystod ei gyfnod yno. Roedd yn un o sylfaenwyr ein papur bro, *Tafod Elai*, ac yn Olygydd Technegol yn y cyfnod cynnar, yn weithgar gyda changen leol Plaid Cymru a hefyd yn aelod cefnogol o Glwb y Bont, sefydliad sy'n parhau hyd heddiw i fod yn un o gonglfeini Cymreictod yr ardal. Byddai wrth ei fodd yn cymdeithasu gyda'r cymeriadau fyddai'n dod i'r Clwb, pwy bynnag oedden nhw a beth bynnag eu cefndir.

Un gŵr hynod a fynychai'r Clwb bryd hynny oedd Dennis, Gwyddel o Fae Bantry, labrwr oedd yn meddu ar y dwylo lletaf welais i erioed a'i acen bron yn annealladwy i'r rhan fwyaf ohonon ni. Dwn i ddim a oedd Ioan yn deall y cyfan fyddai Dennis yn ei ddweud wrtho chwaith, ond fe gafodd y ddau aml i sgwrs ddifyr. Flynyddoedd yn ddiweddarach, pan oedd Alwena'n trio cael ei gwynt ati rhwng poenau esgor wrth eni Lois, roedd Ioan wrth ei fodd o ddeall bod y fydwraig hithau'n hanu o Fae Bantry a'i bod yn adnabod teulu Dennis yn iawn!

Roedd y diddordeb yna mewn pobol, ac yn eu stori nhw, yn un o nodweddion amlyca Ioan, ond doedd ganddo fe ddim amynedd o gwbwl gyda phobl hunanbwysig, yn enwedig pan fyddai e'n teimlo eu bod nhw'n bychanu pobol eraill. Bryd hynny, fe fyddai e'n edrych dan ei guwch, ei freichiau ymhleth, a chyn hir fe fyddai e'n saethu rhyw frawddeg ddethol i'w cyfeiriad. Fydden nhw fawr o dro'n tewi wedyn!

Mae hiwmor a dyfeisgarwch geiriol hefyd yn bethau sy'n dod i'r cof wrth feddwl am Ioan. Yn ystod ei gyfnod ym Mhontypridd daeth yn dad am y tro cyntaf ac roedd yn ei elfen, yn arbennig wrth i Siôn ddechrau siarad. Roedd ganddo ddigon o amynedd i lunio ateb i bob 'Pam ...?' hyd yn oed. Er bod angen bod yn eithaf creadigol weithiau ...

'Pam bod gen i goesau?'

'I ddal dy draed di'n sownd wrth dy ben ôl.'

Dydw i ddim yn amau nad oedd Ioan yn mwynhau her ddeallusol y cwestiynau anghonfensiynol hyn!

Erbyn Eisteddfod Genedlaethol Llanrwst yn 1989 roedd cyfnod Ioan ac Alwena ym Mhontypridd yn tynnu at ei derfyn ac felly fe drefnwyd y byddai Alwena'n gosod i Gôr Merched y Garth ar gyfer cystadleuaeth y côr cerdd dant ac y byddwn i'n eu hyfforddi. Pan ffoniais Alwena o'r Maes ar ôl y dyfarniad buddugoliaethus, er mwyn diolch iddi am yr holl gymorth, ei chwestiwn cyntaf oedd 'Lle 'dach chi'n mynd i ddathlu?' Wrth gwrs, roedd 'pybs y dre 'di cau', chwedl Bryn Fôn erbyn hynny. Awgrymodd hi ein bod ni'n mynd i westy'r Victoria lle roedd Ioan yn aros. Tair ohonom gyrhaeddodd yno yn y diwedd, sef Ann Fox, Mererid Morris a fi. Cafwyd croeso mawr ond fe ddiflannodd Ioan yn ddisymwth. Tra o'n i'n ffonio adre i ledu'r newyddion am y llwyddiant, daeth Ioan yn ei ôl – roedd o wedi mynd i ddeffro dau o'i gydletywyr a'u perswadio i ymuno yn y dathliadau.

'Dy fam sy 'na?' holodd Ioan pan oeddwn ar y ffôn, ac wedi iddo gael cadarnhad, dweud wrtha i am basio'r ffôn iddo fo wnaeth o. 'Ioan sy 'ma. Ma Wil Sam isio gair hefo chi!' Doedd gan Wil Sam, druan, ddim dewis yn y mater! Wedyn, 'A rwân 'ma Morus, mab Bob Roberts Tai'r Felin isio siarad hefo chi ...' Ymateb fy mam, wedi i'r tri dawelu a mynd yn ôl i'r bar, fel y medrem ni'n dwy ailafael yn ein sgwrs, oedd, 'Ai nhw oedden nhw mewn gwirionedd?!' Roedd Ioan mor falch o lwyddiant y côr nes bod yn rhaid i bawb posib fod yn rhan o'r dathlu ... a do, fe gafwyd noson i'w chofio!

Cafwyd sawl noson gofiadwy hefyd ar wyliau yn ardal Dingle, Iwerddon, dros y blynyddoedd diwethaf – y cymdeithasu mewn adlenni ar y comin uwch Traeth y Gwin ac, yn ddiweddarach, yn y bwthyn lle byddai Ioan a James, y penteulu Gwyddelig, yn cadw trefn ar y barbeciw yn yr ardd, nosweithiau yn nhafarn Tig Bhric a'r daith flynyddol mewn bws mini i fwynhau danteithion y Charthouse. Defod flynyddol arall fyddai dathlu dechrau'r gwyliau ym mar enwog Dick Mack's ac fe gafwyd prynhawn difyr yno y llynedd pan oedd rhai o'r cwmni'n glwstwr o gwmpas un ffôn yn gwylio Cymru'n chwarae rygbi yn erbyn Lloegr tra bod Ioan yn gwrando sylwebaeth ar ffôn arall, a'r sylwebaeth hwnnw ryw chwarter munud o flaen y darllediad teledu. Bob hyn a hyn byddai Ioan yn rhoi ebychiad o rwystredigaeth neu floedd o gymeradwyaeth a hynny'n cael ei ddilyn ymhen ychydig gan adwaith y rhai oedd yn gwylio'r teledu – golygfa swreal, braidd, i'r rheiny ohonon ni oedd yn methu â chlywed y naill ddarllediad na gweld y llall!

Y *wardrob*!

Anthony Evans

Mae gan bawb stori neu ddwy i'w hadrodd, rhai doniol, rhai arswydus a rhai, wel, ddim mor ddiddorol. Roedd 'da Io Mo lond côl o storïau, cannoedd ohonyn nhw a phob un yn werth ei chlywed. Storïau yn llawn manylion lliwgar yn darlunio lleoliadau, cymeriadau ac, ar brydiau, bydde'r storïau hyn wedi'u gosod mewn cyfnod o bwys hanesyddol i'n cenedl a bydde fe, rhywle ar yr ymylon, neu weithie yn eu canol, yn dyst i'r digwyddiad. Roedd yn un o'r bobol prin hynny â'r ddawn, neu'r lwc, i fod yn y lle iawn ar yr adeg iawn. Yn anffodus fedra i ddim cofio pob stori, ond 'sdim ots; y cof gorau sydd 'da fi yw gwbod i fi ga'l cyfle i fod yn ei gwmni ac y bydde 'da fe storïau bob tro, rhai y bydde fe'n barod i'w hadrodd a'i hail-fyw. Wrth wrando arno fe, byddwn yn teimlo 'mod inne yn chwarae rhan fechan ym mharhad eu dweud. Ma 'da fi atgofion o fod gyda fe yng nghanol sawl helynt a'r ddau ohonon ni'n chwerthin nes 'yn bod ni'n wan.

Stori'r 'wardrob' sy'n dod i'r cof amlyca. Gareth Miles oedd wedi ffonio un bore Sadwrn ac yn awyddus cael help llaw i godi'r *flat pack* roedd e a Gina newydd ei brynu i'w hystafell wely yn eu cartre ym Mharc Graigwen, Pontypridd. Gan taw fi oedd y person mwya ymarferol o'i ffrindie ac yn byw yn weddol agos, a gan taw gyda fi roedd y twls iawn, yn naturiol fi gafodd yr alwad eitha argyfyngus am help. Roedd hefyd, am resymau digon aneglur, wedi

Gareth Miles a Ioan o flaen cartref y wardrob

galw ar Io Mo, a oedd yn byw gyferbyn i Gareth a Gina, i ymuno â ni. Efalle fod Gareth yn meddwl y bydde ychydig o fôn braich yn help i gyflawni'r dasg.

Felly, dyma'r tri ohonon ni, ar y bore Sadwrn hwnnw, yn y parlwr, yn darllen y cyfarwyddiadau. Yna, ar ôl 'inspection' o'r ystafell wely ac o'r stâr troellog, er syndod penderfynodd Gareth taw codi'r 'wardrob' yn y parlwr oedd y cam cyntaf ac wedyn ei chario hi i'r llofft. Dyma gychwyn ar sgwrs eitha bywiog am ymarferoldeb y penderfyniad. Roeddwn i o'r farn taw lan llofft y dyle ni ei hadeiladu o ystyried ffurf a siâp y steire, ac roedd Io Mo, chwarae teg iddo fe, yn cytuno â fi. Roedd e'n gwbod taw fi oedd yr unig grefftwr o'r triawd a taw Gareth oedd yr un lleiaf ymarferol yng Ngraigwen, a thu hwnt petai yn dod i hynny. Ond Gareth oedd perchennog y *flat pack* a gyda fe roedd y gair olaf. A dyma ni'n cychwyn ar y jobyn lawr yn y parlwr. Arhosodd Io Mo yn ddigon pell nôl yn y cefndir, gan adael i Gareth a fi wneud y gwaith ond eto i gyd roedd e'n ddigon parod gyda'i sylwadau a hyd yn oed yn mentro cynnig un neu ddau air o gyngor. Gyda'r awyr yn poethi wrth i ni wynebu ambell broblem bydde sylwadau ffraeth Io Mo yno i'n cynnal rhag gwylltio gormod. O'r diwedd daeth y dasg o adeiladu i ben a'r wardrob newydd yn barod i'w llenwi – ar ôl ei chario i'r llofft, wrth gwrs.

Hwn oedd y cyfle i Io Mo ddangos ei sgilie a'i gryfder corfforol naturiol wrth gario'r dodrefnyn i fyny'r stâr i'r llofft. Gyda Gareth yn arwain y ffordd, Io Mo a finne oedd yn gyfrifol am ddala'r pwyse mowr o'r tu ôl. Fe aeth popeth yn ddigon diffwdan i ddechre ond, ar gornel y stâr fe dda'th y broblem. Bryd hynny y sylweddolon ni pa mor fowr o'dd y wardrob. Gyda Gareth yn tynnu a Ioan a finne yn hwpo fe aeth y wardrob yn ddiawledig o sownd ar gornel y stâr. Ac er holl hwpo'r ddou ohonon ni a thynnu a rhegi Gareth, doedd dim gobaith mynd â hi fodfedd ymhellach. Erbyn hyn wrth gwrs rodd rhes o grafiade ar y walie yn brawf o'n taith ond yn waeth byth ro'dd Io Mo a finne bron lladd 'yn hunen yn chwerthin, ond yn cadw bant o olwg Gareth rhag iddo sylweddoli hynny. Nôl â ni lawr â'r wardrob, gan ychwanegu at y creithiau amlwg ar y wal, nôl i'r parlwr, datgymalu'r wardrob yn ddau hanner. Wedi gwneud hynny llwyddon ni i gario'r darnau lan i'r llofft yn gymharol ddidrafferth.

Erbyn y pr'nawn rodd y jobyn drosodd a'r wardrob wedi'i chodi yn yr ystafell wely. Doedd dim modd cuddio'r mes wnaethon ni ar y stâr, y crafiadau hir ar y waliau, rhag llygaid Gina, felly diflannodd Io Mo a fi'n gloi, cyn iddi hi eu gweld. Rhaid cyfadde bod Io Mo wedi chwerthin a chwerthin wrth groesi'r hewl i fynd gatre. Meddyliais ar y pryd gymaint o wledd y bydde pobol yn ei ga'l wrth ei glywed e'n ailadrodd yr hanesyn am flynyddoedd i ddod. A dyna'r tro cynta a'r tro ola i fi weithio gyda Io Mo ar unrhyw brosiect ymarferol.

Dros y blynyddoedd ces nifer o sesiynau pleserus yng nghwmni Ioan ac Alwena a chafodd saga'r Wardrob ei hailadrodd drosodd a throsodd heb i'r chwerthin leihau o gwbwl. Nid hon oedd yr unig antur i ni ei mwynhau yn ei gwmni a phob tro y bydde cyfle i ni gwrdd, roedd un peth yn sicr, cawn ei storïau yr un mor ddoniol a diddorol.

Roedd adnabod Io Mo yn antur, weithiau yn her, ond y balchder mwya sydd 'da fi o'i adnabod yw ei fod yn fy nghyfrif i yn un o'i ffrindiau. O'i weld ar faes yr Eisteddfod neu mewn tafarn, wrth adnabod yr wyneb bachgennaidd yn agosáu, roeddwn yn gwbod bod fy hen ffrind yn barod am sgwrs hir a difyr. Diolch amdano.

Geiriau oedd cryfder Ioan

Wil Aaron

Pethe byrhoedlog yw rhaglenni teledu ar y gorau, a rhaglenni cylchgrawn yn fwy felly na'r mwyafrif. Bu *Hel Straeon* yn rhedeg am ddeng mlynedd, o 1986 tan 1997. Ymunodd Ioan â'r cynhyrchiad ym 1988. Yn ystod y saith mlynedd y bûm i'n gysylltiedig â'r rhaglen, gwnaethpwyd dros ddwy fil o eitemau. Wedyn, cynhyrchodd Ioan a Wil Owen gannoedd mwy yn eu cyfnod hwy fel golygyddion o 1993 tan '97. Mae darllen trwy'r rhestrau o deitlau bras yr eitemau a gynhyrchwyd gan Ioan yn y cyfnod hwn fel darllen hen ddyddiadur, rhai o'r straeon yn glir yn y cof, eraill wedi diflannu'n llwyr. Pwy tybed oedd 'Dyn y Ffedog Wen'? Pwy oedd 'Doctor y Croeseiriau'? A phwy oedd 'Plismones y Môr'?

I lenwi rhai o'r bylchau ac i glywed eu hatgofion hwy o weithio gyda Ioan cysylltais â thri chyflwynydd gwreiddiol y gyfres – Catrin Beard, Gwyn Llewelyn a Lyn Ebenezer. Roedd Catrin yn hollol newydd i deledu pan ddaeth i *Hel Straeon* ond bu'n cydweithio gyda Ioan pan oedd hi'n ddarllenydd newyddion ar Radio Cymru ac yntau yn un o'r newyddiadurwyr fyddai'n cyfrannu i'r bwletinau. 'Roedd ei adroddiadau yn hawdd i'w hadnabod,' meddai, 'oherwydd eu bod bob tro yn bleser i'w darllen'. Hyd yn oed ym myd teledu, cyfrwng lluniau a delweddau, geiriau oedd cryfder Ioan. Ni fyddai'n eu gwastraffu. Sylw Lyn Ebenezer oedd na fyddai byth yn defnyddio geiriau i esbonio llun. Byddai geiriau Ioan wastad yn ychwanegu at y llun. Ac ni fyddai'n gosod sylwebaeth dros y lluniau mwyaf trawiadol. Rwy'n cofio trafod gydag ef unwaith y gwahaniaeth rhwng ysgrifennu erthygl i bapur newydd ac ysgrifennu sylwebaeth i ffilm. Mewn papur newydd, meddai, roedd y pennawd yn cael ei osod ar ben yr erthygl er mwyn denu llygad y darllenwyr at y geiriau oddi tano. Ond mewn sylwebaeth ffilm, roedd yn well rhoi'r pennawd ar ddiwedd y paragraff fel ei fod yn atsain yn nychymyg y gwyliwr wrth iddo wylio'r lluniau oedd i ddilyn.

Ei gyfraniad mwyaf i *Hel Straeon* oedd ei bortreadau o hen gymeriadau gwerinol fel Iorwerth y Bin, a fu'n gyrru'r lori ludw o amgylch Llangefni am 35 mlynedd, neu Llew y Gof fu'n gweithio yn y chwarel yn Llanberis am 50 mlynedd, neu Cadwaladr Roberts, Y Bala, 89 mlwydd oed, canwr, cneifiwr a chymeriad. Roedd Gwyn Llewelyn yn cofio sgwrsio gyda'r ddau frawd, Tomi ac Edward, ar eu fferm dlawd tu allan i'r Gaiman ym Mhatagonia. Hoff atgof Catrin oedd holi Ronnie Davies, Pontardawe, gyda'i dafodiaith hyfryd a'i straeon am y gwaith tun, a Lyn Eb yn cofio bod yng nghwmni efeilliaid Cwm Cynon, Robart a Beti Williams, yn eu gwylio yn godro'r unig fuwch oedd ganddynt allan yn y cae tu ôl i'w cartref. Y ddolen gydiol rhwng yr eitemau hyn i gyd oedd Ioan. Roedd wrth ei fodd yng nghwmni'r hen gymeriadau, ac yng ngwres ei natur ddiymhongar a'i gydymdeimlad cynnes a'i wir ddiddordeb yn eu stori, byddent yn ymlacio a dechrau siarad.

Roedd yn gyfarwyddwr sensitif. Gweithiodd ar dair ffilm gyda'r hanesydd, yr Athro Bill Jones. Y mwyaf cofiadwy ohonynt oedd y rhaglen ar hen bwll glo yr Emlyn, ym Mhenygroes, Sir Gaerfyrddin. Caewyd y pwll yn 1939,

*Ffilmio yn Scranton, UDA – Bill Jones, George Johns,
Ioan a Nigel Denman*

ond yn 1989 cafwyd bod holl lythyrau a dogfennau'r
gwaith wedi eu cadw yn yr hen swyddfa, yr unig gasgliad o'i
fath i oroesi yn Ne Cymru, ffynhonnell werthfawr i
haneswyr y dyfodol. Arferai Ioan a Bill fynychu'r un clwb
ym Mhontypridd, sef Clwb y Bont, a thros beint un noson,
tyfodd y syniad o ffilmio'r prosiect. Gofynnodd Ioan i Bill
gyflwyno'r rhaglen, gan wybod y byddai ei frwdfrydedd a'i
arddull fywiog yn cyfleu cyffro'r ymchwil i'r gwylwyr. Fel
mae Bill ei hun yn cyfaddef, roedd elfen o risg yn y syniad
gan nad oedd erioed wedi cyflwyno rhaglen deledu o'r
blaen, ond bu Ioan yn ei gyfarwyddo, meddai, yn
amyneddgar, yn gydymdeimladol, o hyd yn barod i
wrando, wastad yn agored i syniadau.

Yn ystod y ffilmio, bu Bill yn sgwrsio gyda rhai o hen
weithwyr y pwll. Nid eu cyfweld ond sgwrsio go iawn â
nhw, am chwarter awr ar y tro. Gadawai Ioan i'r camera
redeg, er mwyn i bawb ymlacio. Gwnâi hyn yn aml. Golygai
hynny waith ychwanegol aruthrol wedi dychwel i'r
swyddfa. Byddai'n treulio dau neu dri diwrnod dim ond yn
gwrando ar y tapiau, heb sôn am ddewis y darnau gorau a'u

gosod mewn trefn. Ond pan gâi ei ddannedd i mewn i bwnc oedd yn ei ddiddori, doedd ddim pall ar ei frwdfrydedd. Mae Ann Fôn, ei ymchwilydd ar aml i stori, yn cofio fel y byddai yn cau ei hun mewn ystafell olygu am ddyddiau ar y tro a bras olygu ei straeon fel nad oedd eisiau ond ychydig o waith twtio arnynt wedyn.

Byddai llawer o'i straeon gorau yn deillio o'i gysylltiadau newyddiadurol. Aeth i Efrog Newydd i gyfweld â'r ffotograffydd byd-enwog, Philip Jones Griffiths, a gwneud eitem amdano a ddatblygodd yn ddiweddarach i fod yn llyfr llwyddiannus. Dro arall, aeth eto i'r Amerig, y tro hwn gyda Dafydd Gruffudd a'i dad, Eric Dafydd o'r 'Dyniadon'. Roedd Dafydd yn 14 mlwydd oed ac yn gefnogwr brwd i dîm NFL y New York Giants. Roedd hefyd mewn cader olwyn, yn dioddef o ddystroffi'r cyhyrau. Trefnwyd, gyda help Ann Fôn, iddo gael mynd i wylio'r Giants yn erbyn y Philadelphia Eagles, ac yna, wedi'r gêm, i ymweld â'r ddau dîm yn eu hystafelloedd newid. Gwyddai Ioan sut i fod yn y lle iawn ar yr adeg iawn. Roedd yno pan lwyddodd Eifion Wyn Owen o Chwilog i groesi Môr Iwerddon am y tro cyntaf ar hwylfwrdd. Roedd yno hefyd yn y cyngerdd pan newidiodd Gwyn Hughes Jones o fod yn fariton i fod yn denor ac roedd yno yn stiwdio Sain pan ddaeth criw o Rastaffariaid o Lunden i wneud record.

Pan fyddai hanner siawns o gael mynd i Iwerddon, Ioan fyddai'r cyntaf yn y ciw. Aeth yno gyda phentrefwyr Ffostrasol, er enghraifft, i efeillio eu pentref gyda Ros Muc yn Connemara. Aeth i hen gapel Cymraeg Dulyn, i'r Ŵyl Geltaidd yn Galway, ar bererindod i ben Croagh Patrig yn Mayo. Er mai Lyn Eb oedd yr 'enaid hoff gytûn' ar y teithiau hyn, Catrin gafodd fynd i Croagh Patrick, a chyda'i gilydd gwnaeth Ioan a hi un o'r ffilmiau gore welwyd ar *Hel Straeon*, y golygfeydd syfrdanol o'r ynysoedd yn y bae oddi tanynt a'r pererinion yn eu dillad dydd Sul yn straffaglu heibio'n droednoeth. 'Mynydd a Ffydd a Ffon' oedd teitl Ioan ar y ffilm. Roedd ganddo glust dda am deitlau cofiadwy. 'Rhwng Skye a Nova Scotia', er enghraifft, am Gymro yn byw ar ynys Uist, a'r 'Cawr ar Goesau Byr', teitl gwych ei gofiant i Elfed Lewis.

Rhaid peidio anghofio am ei hiwmor a'i ddireidi. Pwy ond Ioan fyddai'n mynd i Langefni i wneud eitem ar gi a enillodd gystadleuaeth colli pwysau i anifeiliaid anwes? A'r dyn o'r Rhyl fyddai'n newid y blodau plastig yn ei ardd ffrynt yn ôl y tymhorau? A phwy ond Ioan fyddai wedi dewis Lyn Eb i fynd gydag ef i'r Sioe Ddillad yn Llunden i sylwebu ar ffasiynau merched?

Mae'r eitemau yn adlewyrchiad o'r dyn. Twymgalon, doniol, eang ei ddiddordebau, dyn pobol, dyn hawdd i'w hoffi.

Yr Efengyl yn ôl Ioan

Lyn Ebenezer

Y diweddar Ioan Roberts. Wnes i ddim erioed feddwl y byddwn rywbryd yn cyfeirio ato fel un a fu. Ioan y cyfarwyddwr, Ioan y newyddiadurwr, Ioan y sgriptiwr, Ioan yr awdur a Ioan y cymeriad.

Cwrddasom gyntaf mewn rhyw barti neu'i gilydd mewn fflat yn Aber. Roeddwn i newydd gychwyn ar staff *Y Cymro* tra oedd Ioan wedi ei benodi i swydd debyg ar yr un papur, ond heb eto gychwyn. Chofia i ddim llawer am y digwyddiad, mwy nag y byddai ef wedi cofio. Treuliasom y blynyddoedd wedyn yn ceisio dwyn ar gof, yn aflwyddiannus, rai o ddigwyddiadau'r parti hwnnw.

Ar *Y Cymro*, anaml y gwnâi ein llwybrau groesi. Trigai ef yn sir Drefaldwyn a minnau yn y Bont. Ond byddai e byth a hefyd yn edliw i fi fy lwc, pan anfonwyd ef ar Orffennaf 1af 1969 i adrodd ar yr Arwisgo yng Nghaernarfon tra anfonwyd fi i wneud adroddiad ar ddiwrnod olaf Achos Byddin Rhyddid Cymru yn Llys y Goron, Abertawe. Hoffai Ioan fy atgoffa nad yno, yn lloc y wasg yn adrodd ar yr achos y dylwn i fod, ond yn hytrach yn wynebu'r Barnwr o'r doc!

Aros ar *Y Cymro* fu fy nhynged i am 18 mlynedd tra trodd Ioan i bori ym mhorfeydd brasach ym meysydd toreithiog HTV a'r BBC. Ond yna, ddiwedd haf 1986 dyma ni'n ôl yn yr un cae. Penodwyd ef yn un o gyfarwyddwyr ffilmio'r gyfres newydd *Hel Straeon* a minnau'n un o dri chyflwynydd gyda Catrin Beard a Gwyn Llewelyn. Byddem ni'r cyflwynwyr yn ffilmio gyda gwahanol gyfarwyddwyr o stori i stori. O blith y rheiny, Ioan fyddai'r mwyaf trwyadl. Erbyn cyrraedd i ffilmio ar leoliad byddai'r holl ymchwil wedi ei wneud a threfn yr eitem wedi ei sodro yn ei feddwl. Wedyn, o olygu'r lluniau, deuai diwrnod o osod llais dros rannau o'r stori. Unwaith eto byddai'r paratoadau'n berffaith, pob gair yn ei le, pob brawddeg wedi ei mesur i'r eiliad.

Nid da lle gellid gwell – dyna oedd efengyl Ioan, honno'n ffon fesur ar ei gyfer ei safonau ei hun yn ogystal ag ar gyfer eraill. Ni châi nag eitem na rhaglen fyth adael ei ddwylo oni bai eu bod nhw mor agos â phosib at berffeithrwydd. Yn ystod yr 11 mlynedd a mwy y bu *Hel Straeon* ar y sgrîn, cynhyrchodd y cwmni 2,760 o eitemau unigol heb sôn am raglenni cyfan a chyfresi atodol fel cyfres ar enwau lleoedd, sef *Yn Blwmp ac yn Blaen* a *Crwydro Celtaidd*. Ioan fu'n gyfrifol am ganran uchel o'r rhain. Cydweithiais gydag ef ar rai cannoedd o eitemau, rhaglenni a chyfresi.

Ffilmio 'Pedwar Cae' – o'r chwith i'r dde: Christine O'Connor, Niamh ni Bhaoill, Mick O'Rouque, Ioan, Lyn Ebenezer a Mary Harkin

Hwyrach mai ffilmio'r *Crwydro Celtaidd* ddaeth â'r pleser mwyaf i'r ddau ohonom gan ein bod ni'n Geltiaid i'r carn. Cychwynnwyd yn 1994 gyda chyfres o bedair ar Iwerddon. Dewiswyd fel teitl *Pedwar Cae*, sef y pedair talaith y cenir amdanynt gan Tommy Makem yn ei gân o'r un enw. Treuliais 28 diwrnod yn Iwerddon yng nghwmni Ioan gan deithio dros 3,000 o filltiroedd a saethu 36 o dapiau hanner awr. Mae nifer y casgenni Ginis a wacawyd yn gyfrinach!

Arweiniodd llwyddiant *Pedwar Cae* at daith drwy'r Alban y flwyddyn wedyn. Golygodd *Y Ffordd i John O'Groats* rywbeth tebyg o ran teithio ac amser a nifer y casetiau, er i ni ymweld â'r Alban ddwywaith. Cafwyd digon o ddeunydd ar gyfer pum rhaglen. Bu'r ymateb cystal fel i ni gael trydedd taith – i Lydaw. Ar gyfer 'Tro Breiz' teithiasom 4,000 o filltiroedd ar ddau ymweliad mewn cyfanswm o 27 diwrnod a llenwi 45 o dapiau casét hanner awr. Treuliasom nosweithiau mewn dwsin o wahanol westyau a dwy noson mewn caban llong.

Fe wnaeth y rhaglenni Celtaidd hyn ddenu'n rheolaidd gyfartaledd o oddeutu 100,000 o wylwyr. Yn y cyfamser roedd prif raglen *Hel Straeon* yn dal i ddenu'r miloedd. Byddem yn siario brig y siartiau â *Phobol y Cwm*, ac yn aml byddai nifer ein gwylwyr yn uwch na'r opera sebon honno. Gymaint fu llwyddiant y gyfres fel i ni gael ail raglen wythnosol o'r stiwdio yng Nghaernarfon.

Roedd Ioan yn berffeithydd. Hyd yn oed wedi i ddiwrnod o ffilmio ddod i ben, fyddai gwaith y dydd ddim drosodd iddo. Dros swper fe wnâi adolygu pob gweithgaredd er mwyn cychwyn trannoeth gyda thudalen lân. Ond tua'r naw o'r gloch, dechreuai'r hwyl, a Ioan bob amser yn ei ganol. Cofiaf i'r ddau ohonom un noson yn Llydaw ymlafnio am oriau i gyfansoddi englyn i asyn a welsom yng nghanol tref Sant Malo. Ni chofiaf bellach ond yr agoriad: 'Y mul yn nhref Sant Malo.' Ni chafwyd erioed well cwmnïwr na Ioan. Ond *Hel Straeon* ddeuai gyntaf bob tro. Y rhaglen, a llwyddiant y gyfres. Wedyn y deuai'r hwyl.

Baban Wil Aaron oedd *Hel Straeon*, wrth gwrs. Fe gyflwynodd yr awenau yn nes ymlaen i ddwylo Ioan. Golygai'r baban mabwysiedig y byd i Ioan. Diolchodd i Wil gyda'i hiwmor cynnil arferol, 'Diolch, Wil, am dy gwmni!'

Yn y cywair llon y bu ein cyfeillgarwch gydol yr amser. Yn anffodus, rhaid troi at y lleddf. Er gwaetha'r ffigurau anhygoel, daeth sibrydion fod yna fwriad i ladd *Hel Straeon*. Uwch ein pennau, roedd y fwlturiaid yn crynhoi. Ym mis Mehefin 1997 dyma dderbyn rhybudd oddi wrth Gyfarwyddwr Cynhyrchu S4C, Huw Eirug, fod y gyfres i ddod i ben ac na chaem ni gomisiwn ar gyfer 1998 a 1999.

Dair blynedd yn gynharach, derbyniwyd llythyr mor wahanol oddi wrth y Comisiynydd Rhaglenni Ffeithiol, Cenwyn Edwards, yn nodi bod cais *Hel Straeon* 'ymhell ar y blaen' i'r un cais arall. Ers dechrau 1994 roedd cyfartaledd y gwylwyr meddai, wedi codi i 107,000. Yn ystod ein blwyddyn olaf mewn bodolaeth, hyd yn oed, roedd canran y gwylwyr, wedi codi yn ystod y flwyddyn a chyfartaledd y gwylwyr yn 65,000. Ar ddechrau 1998, galwyd Ioan a'i gyd-gyfarwyddwr, Wil Owen, ynghyd â Catrin Beard a minnau i lawr i Gaerdydd i gyfarfod â Huw Jones, y pennaeth, ynghyd â Huw Eirug, Cenwyn Edwards a Dafydd Rhys. Cydnabuwyd bod y ffigurau gwylio yn 'eithriadol.' Nododd Huw Jones mai lefel a chysondeb y ffigurau gwylio oedd y maen prawf ond ei bod hi'n rhy hwyr i'r penaethiaid newid eu meddwl. Haleliwia, cawsom friwsion! Comisiynwyd ni i lunio 160 o raglenni archifol o *Hel Straeon* ar gyfer S4C digidol. A theitl y gyfres, credwch neu beidio, fyddai *Clasuron Hel Straeon*!

Petawn i'n gorfod dewis y cyfnodau hapusaf yng nghwmni Ioan, mae'n debyg mai'r teithiau Celtaidd fyddai rheiny. Yn wir, roedd Ioan eisoes wedi ymchwilio a threfnu canllawiau ar gyfer teithiau drwy Gernyw a Manaw. Diolch i Wil Aaron a Ioan, un o nodweddion a gofynion amlycaf *Hel Straeon* oedd Cymraeg safonol, gyda'r tri chyflwynydd yn cynrychioli tair acen neu dafodiaith wahanol, gogledd, de a'r canolbarth. Doedd dim sôn am 'rîli' na 'ffantastig' bryd hynny. Ac o ran 'amdan', doedd Dan, druan, ddim 'actshiwali' wedi'i eni.

Achosodd lladd *Hel Straeon* gryn siom a loes i ni oll, ond yn arbennig felly i Ioan. Nid cwyno am ei sefyllfa ei hun a wnâi ond teimlo drosom ni'r gweithwyr eraill. Teimlai'n euog ei fod e wedi methu amddiffyn swyddi 13 o'r staff, y mwyafrif mawr yn ardal Caernarfon. Ond doedd dim angen iddo deimlo'r un iota o euogrwydd gan taw fe fu un o'r prif resymau dros lwyddiant anhygoel y gyfres. Wrth edrych yn ôl ar ddyddiau da *Hel Straeon*, daw munudau tragwyddol i'r cof ac mae Ioan yn rhan o'r mwyafrif mawr ohonynt. Ond fyddai hynny ddim yn digwydd cyn iddo'n gyntaf sicrhau bod popeth yn iawn nôl adre. Nid âi diwrnod na noson oddi cartref heibio heb iddo ffonio Llwynhudol i sgwrsio ag Alwena a'r plant.

Cyfyngaf y cannoedd o hanesion doniol i un yn unig. Yn yr Alban roedden ni, mewn gwersyll milwrol ar Ynys Benbecula. Yno i'n tywys o gwmpas, ac i roi cyfle i gyfarfod ag ambell filwr o Gymro, roedd horwth o ddyn pwysig mewn lifrai. Ganwyd y Major Fairclough i fod yn swyddog milwrol, o loywder pig ei gap i sglein blaenau ei sgidiau dal adar a'u gwadnau rwber. Dan ei drwyn, crychai mwstas browngoch fel rhyw Jini Flewog fawr aflonydd. A dyma Ioan yn fy nghyflwyno i'r pwysigyn:

'Major Fairclough, let me introduce you to our presenter, Mr Ebenezer.'

Ysgwyd llaw. Fy llaw i'n diflannu i bawen arthaidd y Major. A Ioan yn sgwrsio ymlaen,

'Now, Mr Ebenezer and you have something in common. You are a Major in the British Army. Mr Ebenezer here used to be a Major in the Free Wales Army!'

Gwelodd wyneb y Major Fairclough. Cwafrodd ei fwstas. Gollyngodd afael o'm llaw. Yna trodd ei wyneb yn biws. Harymffiodd yn groch a brasgamodd i ffwrdd, ei harymffian yn graddol dawelu wrth iddo'n araf ddiflannu i niwlen lwyd Ynys Benbecula.

Gwelais Ioan am y tro olaf yn Eisteddfod Llanrwst. Roedd yn ei hwyliau gorau. 'Sut ydach chi, Mistyr Ebenezer Bach!' Dyna'i gyfarchiad i mi bob amser wedi i ryw hen gymeriad ger Ynys Aberteifi, wrth i Ioan ein ffilmio, fy nghyfarch yn ddibaid fel 'Mistyr Ebenezer Bach!'

Ie, Ioan, coffa da amdanat. Ti, Ioan y cyfarwyddwr. Ioan y newyddiadurwr. Ioan y sgriptiwr. Ioan yr awdur. Ioan y cymeriad. Ioan y cyfaill cywiraf. Wnaiff Mistyr Ebenezer Bach fyth 'mo'th anghofio.

Y *stori sy'n bwysig*!

Keith Davies

'Ble ma'r stori? Deuda wrtha i ble ma'r stori? Ma' dechra, canol a diwedd i stori dda, a bydda hi'n beth da petaet ti'n cofio ma' dy waith di yw adrodd stori ddifyr wrth y gwylwyr adre! Fasan nhw ddim yn rhoi sylw i'r eitem hon yn ei ffurf bresennol ar dudalen ôl Y *Goleuad*, hyd yn oed. Cofia be 'di teitl y gyfres rwyt ti'n gweithio arni – *Hel Straeon*!' A dyna fy rhoi i yn fy lle!

Fel cyw gyfarwyddwr dan hyfforddiant gyda *Hel Straeon*, fe fyddai un o'r penaethiaid yn dod i fwrw golwg dros fy ngwaith cyn ei ddarlledu. Yr uchod oedd ymateb Ioan y tro cynta y gwnaeth e ddod i weld ffrwyth fy llafur. Wrth gwrs roedd Ioan yn iawn, roedd Io Mo wastod yn iawn! Wedi'r dwrdio diflewyn ar dafod, âi Ioan ati'n bwyllog, doeth a gofalus i esbonio ac egluro sut y gallwn achub yr eitem er mwyn ei darlledu. Wedi treulio diwrnod cyfan gyda'r golygydd yn ailwampio'r eitem yn llwyr, dyma ofyn i Ioan ailedrych arni. Mawr oedd fy ryddhad pan ddwedodd y meistr, 'Ew, reit dda, Mr Dafis Bach, ella y byswn i'n ystyried ei chynnwys ar dudalennau canol Y *Goleuad* erbyn hyn. Ond cofia, cadwa dy lygad ar y stori bob tro, dyna sy'n bwysig, nid y siots camera arti ffarti. Y Stori!'

Anghofies i fyth mo'i eiriau. Wrth gwrs, un o brif rinweddau Ioan fel newyddiadurwr oedd adnabod stori dda, dehongli'r stori a'i chyflwyno'n ddifyr i'r gynulleidfa, boed ar dudalen neu sgrin.

Os oedd e'n fòs a hanner roedd e hefyd yn ffrind a hanner, yn driw i'r eitha. Yn anffodus, cymharol brin oedd y cyfleon ges i o fynd allan i ffilmio gyda Ioan, ond bydd yr achlysuron pan ges i'r fraint o wneud hynny yn aros yn fy nghof tra bydda i. 'Chofia i ddim yn union ble roedden ni'n ffilmio, dw i'n amau mai mewn rhyw dre rhwng Corc a Killarney oedden ni, yn sicr yn yr ardal hynny yn rhywle. Nawr, doedd *Hel Straeon* ddim yn un o'r cwmnïau hynny fyddai'n gwario'n ddwl ar foethusrwydd diangen! Car i Gaergybi, cyn croesi i Dun Laoghaire a gyrru ymlaen i gyfeiriad Corc. Wnes i erioed dreulio oriau difyrrach mewn car. Trwy Wexford, Waterford a Dungarvan. Roedd y straeon yn llifo – ei wyliau gydag Alwena yn Baile an Fheirtéaraigh, y cymeriadau lliwgar a'r troeon trwstan yno. Cyhoeddiad sydyn rhywle yng nghyffiniau Corc, ein bod bellach yn y 'Rebel County', a hynny yn ei dro yn rhoi cyfle i Ioan adrodd hanesion arwyr Gwrthryfel y Pasg a llofruddiaeth Michael Collins.

Beth bynnag, wedi diwrnod hirfaith o waith y diwrnod canlynol, fe gyrhaeddodd Ioan, finne a'r gŵr camera Mick O'Rourke nôl yn y gwesty tua hanner nos yn sychedig iawn. Siom oedd gweld bod y gwesty bach yn dywyll a'r bar wedi hen gau. Dim peint i ni felly. Ond wrth ddweud nos da, fe oleuodd llygaid Ioan, 'Hmm, rhoswch am eiliad!' a thynnu rhyw racsyn llychlyd o fap o'i fag. Wedi astudio'r map, 'Right Mick, you follow Mr Davies and myself. I have a plan! Dowch, Mr Dafis Bach!' Arweiniodd Ioan ni trwy'r dref fechan ac i lawr rhyw lôn fach dywyll a diarffordd. Ymhen hir a hwyr, daethom at dafarn wledig, a'r golau yn pipo mas rownd ymylon y drws a'r cyrtens caeedig. Fe dawelodd y sŵn wrth i Ioan gnoco ar y drws. Clywed llais ac acen dew Wyddelig yr ochr arall.

'I'm sorry, we're closed lads. This is just a little family reunion we have here.'

'Is that you Sean?' gofynnodd Ioan, 'It's Ioan, from Wales!'

Agorodd y drws,

'By Jeeeeesus, Ioan! Come on in!'

Fe gawson ni groeso twymgalon er ei bod erbyn hynny yn tynnu am un y bore, a pheint neu ddau i gyfeiliant ffidl, dwy bib a bodhran a rhyw ugain o drigolion lleol yn morio canu. Rhyfeddu bod Ioan yn cofio enw'r perchennog a'n bod wedi cael cystal croeso yno.

Bues i hefyd yn ffilmio gyda Ioan yn nhref fechan Middle Granville ar y ffin rhwng taleithiau Efrog Newydd a Vermont. Fe fudodd cannoedd ar gannoedd o Gymry i'r ardal yng nghanol y bedwaredd ganrif ar bymtheg i weithio yn y chwareli oedd yn britho'r ardal. Rhyw le gwely a brecwast bychan ond hyfryd iawn gawson ni. Roedd rheolau llym yn y lle – dim sŵn ar ôl un ar ddeg y nos, diffodd y golau bob amser ar ein hôl, a doedd neb i smoco yn eu hystafelloedd ar unrhyw gyfri.

Y noson gynta felly, fe es i mas ar y balconi i gael mwgyn cyn noswylio, heb sylweddoli bod y drysau y tu ôl i fi wedi agor a bod y gwynt yn chwythu'r mwg nôl i mewn i'r ystafell. Trannoeth, daeth gŵr y llety ataf yn winad o grac! Pam o'n i wedi torri ei reolau? Pam nad oeddwn wedi parchu'r croeso a estynnwyd i ni? Roedd yn gandryll, meddai, ac yn mynd i ystyried yn ystod y dydd beth fyddai ei benderfyniad. Ceisiais ymddiheuro ac esbonio beth oedd wedi digwydd, ond yn ofer.

O ganlyniad ro'n i'n ddiflas drwy'r dydd wrth ffilmio, yn siomedig 'mod i wedi creu y fath gynddaredd, ac yn poeni beth fyddai gan ŵr y llety i'w ddweud y noson honno. Pan gyrhaeddon ni nôl roedd e'n ein disgwyl ar y feranda, a gofynnodd i fi fynd gydag e am sgwrs. Y peth cynta wnes i oedd ceisio ymddiheuro unwaith eto ac erfyn am ei faddeuant.

'Firstly, thank you for your apology. Secondly, I politely ask that you do not smoke, even on the balcony. But most of all, I owe you an apology. I might have been somewhat harsh this morning, as a result of not knowing the background. Please accept my apology.'

Wrth fynd nôl i fy 'stafell, dyma lais o 'stafell Ioan 'Dowch yma, Mr Dafis.'

'Wel Ioan, gredet ti ddim, o'dd e fel oen llywaeth ac fe wnath e ymddiheuro i fi am fod mor grac y bore 'ma.'

'Hmm,' medde Ioan. 'Dw i ddim yn synnu. Mi ges i air gyda fo y bore 'ma cyn mynd allan, a dweud wrtho bod ti newydd gael gwybod bod dy nain wedi marw!'

Ioan yw'r unig un erioed i 'nghael i i ganu'n gyhoeddus! Roedd Middle Granville yn llawn o gyfenwau Cymreig megis Jones, Williams ac Evans. Dywedwyd wrthym bod y Gymraeg i'w chlywed yn naturiol ar strydoedd y dref hyd at 50au'r ganrif ddiwetha, ond nad oedd unrhyw un ar ôl bellach yn gallu siarad yr iaith. Fe gydiodd hynny yn nychymyg a greddf newyddiadurol Ioan. Erbyn diwedd y dydd meddai,

'Un peth arall i'w ffilmio cyn gorffen – dwi wedi dod o hyd i'r unig ddynes yn yr ardal sy'n dal yn medru rhywfaint o Gymraeg!'

Ie, ie! Go brin meddyliais, gan ei ddilyn i'r car i gartre dynes annwyl iawn oedd ymhell yn ei nawdegau.

'Tria gael rhywfaint o Gymraeg ganddi.'

'Dria i 'ngore,' meddwn inne heb fod yn rhy obeithiol.

'Yma gawsoch chi'ch geni?' gofynnais iddi. Daeth yr ateb yn Saesneg, fel yr atebion i bob cwestiwn arall a ofynnais i. Roeddwn i'n hen barod i roi'r ffidil yn y to, ond nid Ioan.

'Hola hi am yr ysgol, neu am y capel.'

'Oeddech chi mynd i gapel Cymraeg Middle Granville?'

Wnaeth hi ddim ateb, ond dechreuodd ganu 'Mi Glywaf Dyner Lais'. Syllais arni'n syn, cyn cael cic o dan y bwrdd,

'Cana gyda hi!'

Edrychais inne wedyn yn anghrediniol ar Ioan.

'Cana gyda hi!' mynte fe wedyn.

Ar ddiwedd y gytgan, yn wir, fe drodd yr hen wraig ata i a dechrau siarad rhywfaint o Gymraeg. Unwaith eto roedd greddf Ioan yn iawn. Roedd Io Mo bob amser yn iawn ac wrth fynd at y car fe drodd ata i a dweud yn dawel, â gwên fawr ar ei wyneb.

'Hm ... Ddudis i, do? Ddudis i! Reit dda, Dafis Bach ... odd hi fel blydi *Wythnos yng Nghymru Fydd*, yn doedd?'

Yr eiliad honno fe gofies i am y dwrdio a fu flynyddoedd ynghynt – ie, y stori sy'n bwysig.

Roedd Ioan yn rhan annatod o straeon cymaint ohonon ni. Diolch Ioan.

Y *conductor bysus*

John Eric Williams

Y tro cyntaf i mi gyfarfod Ioan oedd yn y pumdegau, pan arferai'r ddau ohonom weithio fel 'conductors haf' ar fysiau Crosville ym Mhwllheli. Roedd swydd 'conductor' yn werth ei chael i hogia ifanc Pwllheli a Llŷn yr adeg hynny. Swydd amrywiol ei natur, yn teithio o le i le, gan dalu cyflog da. Os cofiaf yn iawn ar fws Aberdaron y gweithiai Ioan yn bennaf, oherwydd ei adnabyddiaeth o ardal Bryncroes a Rhoshirwaun mae'n debyg, gyda Now Tangofer a'i getyn yn gyrru'r bws. Efo criw o hogia ifanc yn dal y swyddi yma gellir yn hawdd deall fod yna lawer o gambyhafio a throeon trwstan yn digwydd.

Dyna'r tro i fachgen bach gael ei roi ar y bws yng Nghaernarfon, gyda'r siars i'r 'conductor' ei roi i lawr yn Bethesda Bach. Ond ble landiodd yr hen foi bach? Ar y Maes ym Mhwllheli. Dro arall saethodd pram allan o gefn 'dybl decar' yn rhacs yn erbyn wal gerrig, ar y gornel fawr ym Maentwrog. Arferid rhoi pecyn o'r *Liverpool Echo* bob nos Sadwrn ar y bws ym Mhwllheli i'w ddosbarthu mewn trefi a phentrefi ar y ffordd. Yn aml, oherwydd esgeulustod, byddai'r pecyn yn cyrraedd yn ôl heb ei agor. Mae 'na lu o atgofion tebyg.

Mae'n siŵr fod y cyfnod yma wedi gwneud argraff ar

Dyddiau 'conductar bus'!

Ioan, gan iddo ddangos y bathodyn metel crwn a gâi pob 'conductor' yn brawf o'i swyddogaeth, i mi yn ddiweddar. Mae'n amlwg nad oedd Ioan wedi ei ddychwelyd ar ddiwedd ei dymor ar y bysus.

Yna, aeth y blynyddoedd heibio heb i ni gyfarfod rhyw lawer nes iddo ddod i fyw i Bwllheli ac i Alwena ac yntau ddod yn ffrindiau gydag Eunice a finnau. Arferem fynd allan ar nos Sadwrn yn rheolaidd a'r Mariner oedd yr hoff fan cyfarfod. Nosweithiau difyr yn hel atgofion, dadlau a chanu a Ioan a'i gof anhygoel am bob manylyn yn ei straeon diddiwedd.

Noswyl Nadolig aeth pump ohonom i'r Whitehall am beint 'Cyn Gwyliau' (yn nhafodiaith Penllyn, Meirion). Gadawodd y tri arall, ac a finnau ar fin mynd, dywedodd Ioan, 'gawn ni wisgi bob un cyn gadael'. Dyna'r tro olaf i mi ei weld a thrysoraf y cof hwnnw amdano. Yn eironig, yn ddiweddar iawn, buom yn trafod ystyr cwpled olaf soned Williams Parry, 'Dwy galon yn ysgaru' –

'Fy nghadwedigaeth fydd dy hiraeth di,
A'th angof llwyr fy llwyr ddifancoll i.'

Plas Carmel

Elfed Gruffydd

Yn amlach na pheidio, mi fyddai sgyrsiau efo Ioan yn dychwelyd i ardal Rhoshirwaun gan gyfeirio'n fynych at Lyn y Gelod, Parc y Brenin neu Lety'r Ŵyn, yr atgofion mor fyw a chywir â phe bai'n sôn am rywbeth ddigwyddodd ddoe. Byddai'r un mor barod i ddwyn i gof rhyw dro trwstan fyddai wedi digwydd rhwng Sarn ac Aberdaron pan oedd yn gondyctor ar fysus Crosville yn yr haf, neu pan âi o gwmpas y fro i ddosbarthu bara o fecws Tegfan.

Mi grwydrodd gryn dipyn fel newyddiadurwr ac awdur i'r Wladfa ac i Ewrop ond yn ei ôl y deuai bob tro i ardal capel Bethesda, capel Batus y Rhos gan mai aelodau yn y fan honno y bu ef a'i chwaer Katie gydol eu hoes. Onid yn y seston o dan y sêt fawr y cafodd ei fedyddio yn ei siwt newydd sbon a honno'n socian y tro cyntaf iddo ei gwisgo? Testun difyrrwch oedd bod Owen Jones y gweinidog yn sych yn ei siwt bwrpasol o. Cymal arall i'r stori oedd bod y dŵr bedydd wedi'i gario ar draws y lôn fesul bwcedaid o dŷ gyferbyn. Seiada fel yna fyddwn ni'n eu colli rŵan.

Yn festri'r capel hwnnw y bu criw bach ohonom yn cyfarfod yn gyson am rai blynyddoedd yn ddiweddar i geisio darganfod sut y gellir gwarchod ac adfer Capel Carmel a'i safle yn Anelog. Cangen o Fethesda ydi Carmel, ei gyflwr yn fregus ond mae'n rhan bwysig o hanes a diwylliant pen draw Llŷn. Teimlwyd mai'r unig ffordd i warchod Capel Carmel bellach fyddai trwy dderbyn grant ac aed ati i chwilio. Roedd Ioan a finna allan o'n dyfnder wrth drafod cyllid a gwariant ond roedd y ddau ohonom yn teimlo'n llawer mwy cyffyrddus wrth chwilota am hanes, neu wrth lunio pamffled. Pan ganodd Cynan am 'fwthyn bach gwyngalchog, ym mhellafoedd hen wlad Llŷn', Capel Carmel oedd ganddo fo dan sylw er bod o leiaf ddau le arall, sef Nanhoron a lle arall ym Môn yn hawlio hynny. Onid oedd Dic Aberdaron, 'yr ieithmon a'r cathmon o Lŷn' yn byw yng Nghae'r Eos, led cae i ffwrdd ac yntau'n mynychu Carmel? Ac oni fu Christmas Evans yma'n pregethu yn yr union bulpud?

Adfer y capel oedd un o freuddwydion Ioan. Mae Capel Carmel wedi'i restru yn radd II* gan CADW gan fod ei bensaernïaeth (babanasant) yn nodweddiadol o gapeli anghydffurfiol cynnar – yr unig un o'i fath, a does dim un rhan ohono wedi'i addasu. Mae'r tŷ capel, sydd o dan yr un to, hefyd wedi'i gofrestru. Hwn oedd cartref Thomas John Jones, y siopwr a gadwai Siop y Plas – 'siop gwerthu pob dim', ychydig lathenni i ffwrdd. Un o'r mannau y galwai Ioan yn rheolaidd ynddi, efo'i dad ar y fan gig, oedd Siop y Plas. Dirywio wnaeth adeiladwaith sinc y siop ond cadwodd y tu mewn iddi, gyda'i chownteri coed a'i pharwydydd o ystyllod, yn arbennig o dda.

Gwnaed nifer o geisiadau am grant ond wedi derbyn sawl siomiant cyrhaeddodd gwybodaeth ychydig cyn y Nadolig fod cyllid i ailgodi'r siop wedi'i ganiatáu. Mi glywodd Ioan y newyddion da ond welodd o mo brysurdeb yr adeiladu sy'n digwydd yno y dyddiau hyn. Roedd Siop y Plas yn ganolfan gymdeithasol i ardal Anelog a breuddwyd Ioan, fel newyddiadurwr, oedd recordio a chofnodi'r atgofion. Roedd ganddo glust am stori dda a byddai wedi manteisio ar ei brofiad craff fel cynhyrchydd teledu. Bydd y safle, y capel, y siop a'r ardd yn ganolfan i ddehongli 'treftadaeth ddiwylliannol' yn iaith y grantiau, ac yn fan delfrydol i gyflwyno hanes a chyfoeth diwylliant pen draw Llŷn.

Roedd Ioan wedi ymgolli'n llwyr yn hyn i gyd a byddai yn ei elfen yn ymdrin â chyfoeth enwau caeau'r ffermydd ac enwau creigiau'r arfordir fel y gwnaeth yn rhaglenni *Almanac*, sef y *Stuart* y *Llong Wisgi* ym Mhorth Tŷ Mawr a hanes y ddau frawd yng Nghapel Galltraeth. Gwelai bosibilrwydd o greu drama yn hanes y garreg iasbis anferth, a gafodd ei chario o Chwarel Carreg ar ei ffordd i stesion Pwllheli, ond dymchwelodd Pont Nant yr Eiddon ger Methlem o dan ei phwysau. Symudwyd dwy garreg fedd hefyd o Gapel Anelog a'u diogelu bellach yn Eglwys Aberdaron.

Gwelai Ioan gyfle yn y Capel i adrodd hanes y pererinion yn y chweched ganrif yn galw yng Nghapel Anelog, a hefyd y mynaich yn ymweld â Chapel Mair, yna'n troedio i'r ffynnon ramantus honno yn Uwchmynydd, cyn mentro ar draws y Swnt i Enlli. Roedd y cyfan o fewn ei allu i'w gyfleu yn fyw ar sgrin ar gyfer trigolion lleol, disgyblion ysgol ac ymwelwyr wrth iddynt alw heibio Plas Carmel, pan fydd y cyfan ar ei newydd wedd.

Wrth i ni geisio gwarchod 'treftadaeth ddiwylliannol' yr ardal mi gollwyd rhan mor bwysig ohoni, un â chymaint i'w gynnig, cyfaill mor driw a fyddai â chyfraniad arbennig i drosglwyddo hen hanesion ei fro yn fyw, ar lafar, ar sgrin ac yn ysgrifenedig i bawb wrth ymweld â'r hen gapel. Mae'n drawiadol mai tuag at brosiect Plas Carmel yr aeth rhan o'r casgliad yn angladd Ioan.

Mae'n chwith ei golli. Pwy lenwith y bwlch?

Panad yn Oriel Tonnau

Penri Jones

Bydd criw bychan ohonom yn cyfarfod yn foreol yn Oriel Tonnau ym Mhwllheli. Rydyn ni'n griw pur amrywiol ein gwreiddiau, ond nid oes yr un ohonom yn hanu o brifddinas Llŷn, Pwllheli. Cyfarfod y byddwn i siarad am yr hen amseroedd, gan geisio torri ar undonedd bywyd yn ein henaint. Arferwn i gael modd i fyw erstalwm wrth ddarllen nofel wych Kingsley Amis, *The Old Devils* ond erbyn hyn gwelaf fod ein criw ni yn ymdebygu yn fwyfwy i'r criw brith hwnnw o flwyddyn i flwyddyn.

Pwy ydyn ni?

Robs sy'n gwybod pob dim am adeiladu, gan iddo dreulio y rhan fwyaf o'i oes yn gweithio yn Jewsons. Fo yw'r ffyddlonaf ohonom ni i gyd a fo hefyd yw storïwr diddan y cwmni. Cyn-bennaeth ysgolion cynradd yw Elfed Gruffydd, o Langwnnadl yn wreiddiol, mathemategydd, a hanesydd lleol y criw. Y Parch. Geraint Hughes, gweinidog y criw â'i wreiddiau ym Mhenmaenmawr. Gruffydd Wyn Bodfel, gŵr prin ei eiriau, ond sy'n gwybod pob dim am bawb, a hynny yn ôl at y seithfed ach. Fo yn ddiddadl yw cof y criw. Glyn Owen Caerau, Rhydyclafdy gynt, ond bellach yn byw yn Efailnewydd. Hynafgwr iach iawn ac yn dri ar ddeg a phedwar ugain oed. Medar sgwrsio'n ddifyr am dalp go helaeth o Wynedd gan gynnwys Cynwyd, Penmorfa, Brynengan, heb sôn am Lŷn. Cofiadur y criw. Yna,

Gwynfor Williams, Abersoch – Lasarus y criw. Er y bydd yn cwyno gryn dipyn am ansawdd ei iechyd, cyn dod i'r lan a gwên fawr ar ei wyneb.

Wedyn, wrth gwrs Ioan – Io Mo i bawb ohonom. Roedd yn gyfuniad o bron y cyfan o nodweddion y gweddill ohonom, calon y criw ac yn ymddangosiadol y mwyaf iach hefyd. Byddai amrywiaeth eang ei swyddi yn sicrhau amrywiaeth o storïau hefyd. Pan fyddem ambell dro yn bur dawel ein sgwrs, deuai drwy'r drws a byddai ei wên a'i bryfocio diniwed yn codi ysbryd pawb. Yn ddyddiol byddai'n llonni pawb.

Roedd ganddo ei arwyr, pobl fel Dafydd Wigley, ac ni chollai gyfle i sgwrsio amdanynt. Byddai yn ei elfen hefyd yng nghwmni plant, yn eu pryfocio a rhoi'r sylw dyledus iddynt gan eu denu tuag ato. Pan ddeuai efeilliaid Esyllt y ferch acw i gael eu gwarchod, caent y dewis o fynd gyda Mair, y wraig, i siopa ym Mhwllheli, neu fynd gyda fi i Tonnau i'r 'Doom and Gloom', yn ôl rhai, gan fod marwolaethau yn destun trafod amlwg. Dewis dod gyda fi fydden nhw yn ddi-ffael. Llwyddodd un ohonynt droi cwpanaid chwilboeth o ddiod siocled i mewn i het feics y Gweinidog, er mawr ddifyrrwch i'r holl gwmni, heblaw am Ger Bach! Wedi hynny, pan welai Ioan yr hogia, ni chollai ar y cyfle i'w pryfocio am lanast y siocled yn yr het. Fo oedd y gliw oedd yn cynnal ein cwmnïaeth yn ystod y boreau yn Tonnau.

Gwnaeth Ioan ein cymell a hebrwng Elfed, fi a John Elfyn i gyfres o ddarlithoedd gwych ym Mhlas Carmel yn ei annwyl Fethesda. Yn naturiol, roedd ganddo ei werthoedd anymwthgar ei hun. Anaml iawn y byddai'n ffraeo â'r un ohonom, ond serch hynny pan fyddai dadl yn codi yn ystod y bore, gofalai ychwanegu ei sylw gwreiddiol ei hun wrth gloi unrhyw ddadl a byddai'n rhaid i ni gyfaddef ac ildio mai fo fyddai'n iawn yn y bôn.

Ers ei golli prin yr aiff bore heibio na chlywir y geiriau, 'Ew, mae'n chwith ar ôl colli Io Mo'.

Meibion y Machlud ym Madrid

Ioan – Mab y Machlud

Robat Gruffudd

Chwith iawn meddwl na chawn ni gwmni Ioan eto ar un o deithiau Meibion y Machlud, ac anodd meddwl am fynd ar daith o gwbl hebddo. Wrth feddwl yn ôl, rwy'n sylweddoli mai Ioan oedd calon y gymdeithas ar y teithiau a phrif sbardunwr y sgwrsio, y pryfocio a'r hel straeon. Ni fyddai'r tripiau'n dechrau mewn maes awyr neu westy ond ar yr eiliad honno pan fydden ni wedi glanio ac yn cyrraedd y bar cyntaf, pawb o gwmpas y bwrdd, caraff o win yn ei le a phlatiaid neu ddau o dapas yn y canol – a Ioan yn adrodd rhyw hanesyn neu yn holi rhyw gwestiwn. Dyna pryd byddai'r criw o unigolion prysur yn troi yn rhywbeth amgenach ...

Am ryw reswm, rwy'n cofio'n arbennig am ein noson gyntaf mewn bistro yn ardal y Puerto del Sol ym Madrid, y plateidiau o tapas yn dilyn ei gilydd, fel yr hanesion a'r chwedlau. Ro'n i'n gyndyn iawn i symud o'r fan a'r lle – beth oedd y pwynt? Ond symud wnaethon ni yn y diwedd, i res o fariau bychain, y rheiny wedi eu leinio â hen gerameg lliwgar a chylffau anferth o gig hallt yn hongian ar fachau duon o'r nenfydau.

Ond rhag creu camargraff, rhaid pwysleisio'r elfen drom addysgol yn nheithiau Meibion y Machlud. Oni chawson ni dywysydd personol i'n dangos o gwmpas prif luniau'r Prado, cyn mynd wedyn i weld llun Guernica yn oriel y Reina Sofia?

Roedd gan Ioan ddiddordebau eang a chwilfrydedd greddfol, nodweddion y newyddiadurwr da. Fe aethon ni ddwywaith neu dair i Berlin – mae'r atgofion yn toddi'n un, a bod mor ffodus â chael ein tywys o gwmpas safleoedd y Trydydd Reich gan fyfyrwyr ifainc disglair a gwybodus. Er oerfel yr Arctig yno un tro, mynnai Ioan ofyn cwestiynau manwl am hanes cyfnod Hitler a chawsom oedi uwchben y byncer lle treuliodd y Führer ei ddyddiau olaf. Cawsom flas cynhesach o'r cyfnod cyn y rhyfel ar ymweliad arall, yn y sioe gerdd 'Cabaret' a welson ni yn y Bar Pob Rheswm (y *Bar Jeder Vernunft*). Addurnwyd y babell anferth – fel y staff i gyd – yn arddull y tridegau gan ein cludo gorff ac enaid i'r cyfnod arbennig hwnnw.

Dangosodd Ioan hefyd ddiddordeb yn yr Almaen wrth gyfweld fy mam, ddwy waith, i'r *Cymro*. Yn Almaenes Iddewig, doedd hi mo'r un hawddaf erioed i'w chyfweld, gyda'i hacen Almaenaidd drom, a'i hagweddau di-lol, ond roedd hi wrth ei bodd â'r cyfweliad oherwydd diddordeb deallus, sensitif Ioan, ac o ganlyniad fe dyfodd un cyfweliad yn ddau gyfweliad hir. Roedd y gyfres hon o gyfweliadau treiddgar ag amrywiol bobl ddiddorol yn un o gyfraniadau mwyaf Ioan i newyddiaduraeth Gymraeg.

Ond symudwn ymlaen i Bwdapest: dinas arall a ddeffrodd chwilfrydedd Ioan. Buom yn ffodus i gael Victor fel tywysydd y tro hwn, dyn canol oed a'n dangosodd o gwmpas y ddinas yn ei hen fan rhacs. Roedd yn dipyn o sinig ynglŷn â'r drefn newydd ac wrth ei fodd yn ateb cwestiynau miniog Ioan a Gwilym Tudur o'r cefn. Eglurodd na chyrhaeddodd y Mil Flynyddoedd yn sgil cwymp y drefn Gomiwnyddol yn 1989. Yr un bastards oedd wrthi ag o'r blaen, yn pluo'u nyth eu hunain: doedd yr Hwngari newydd damed mwy 'democrataidd' na'r hen un. Gadawodd Victor ni wrth ymyl bwyty go wych oedd yn cynnig miwsig Sipsi Hwngaraidd. Siglodd law â phob un ohonom yn ein tro, gan ein gadael â'r cyngor doeth: 'Budapest is nice – but beware of the womans!'

Er dilyn ei gyngor, y noson honno wrth gerdded adref yn weddol hwyr daethom i ddeall cyngor Victor. Am ryw reswm Ioan oedd yr olaf un ohonom yn rhyw lusgo dod ar y palmant yn ei fyd bach ei hun, pan ymddangosodd dau ddyn a merch ifanc o dras y sipsi. Wrth gwrs, dewis Ioan wnaethon nhw am ei fod e ar ei ben ei hun. Cafodd gynnig gan y ferch, ond fel aelod ffyddlon a doeth capel Tyddyn Shôn, gwrthododd Ioan ei chynnig yn bendant. I ddangos eu siom, cyn ei adael, cafodd Ioan ei wthio gan un o'r bechgyn nes taro yn erbyn y ferch a dyna a fu. Wrth fynd i mewn i'r gwesty aeth Ioan i'w boced ac, wrth gwrs, doedd ei waled na'i arian ddim yno.

Y bore wedyn, wedi ffonio Alwena i sicrhau na fydden nhw'n gallu defnyddio ei gardiau, yn hytrach na mynd i'w blu yn ddiflas, hel meddyliau wnaeth Ioan. 'Sut hwyl tybed gaiff y ferch 'na yn y Llyfrgell Genedlaethol yn defnyddio 'y ngherdyn darllen i? Cheith hi fawr o ddefnydd o 'ngherdyn teithio ar fws am ddim, cheith hi?' Na, dim teimlo'n bruddglwyfus wnaeth Ioan, ond yn hytrach dychmygu'r ferch mewn sefyllfaoedd abswrd yn defnyddio'r cardiau yn ei waled. Doedd colli ei arian a'i gardiau ddim yn mynd i chwalu mwynhad y daith iddo fe.

Gyda llaw dylwn nodi y byddai Ioan weithiau'n cymryd sedd ôl yn y sgwrsio gan arbrofi â'i gamera Lumix a thynnu ambell lun answyddogol o'r criw – a'u hanfon atom wedyn ar ôl i ni gyrraedd adre. Roedd ganddo ddiddordeb byw mewn ffotograffiaeth fel y tystia ei lyfrau am luniau Geoff Charles a'i gampwaith am fywyd a gwaith Philip Jones Griffiths, y ffotograffydd byd-enwog o Gymro.

Buom hefyd ym Mhrag, Lisbon, Donostia ac Amsterdam. Rwy'n credu i Ioan, yng nghwmni Alun, Elfed a finnau, gael blas arbennig ar y daith i Lisbon, dinas hynod

gynnes a bywiog. Llwyddasom i rowndio saith bar Ffado –
yr hen fiwsig blwsaidd, hudolus, Portiwgeaidd – mewn
deuddydd llawn, gan orffen y dair noson neu'r tri bore yn
yr un bar jazz. Rwy'n cofio ein sesiwn gyntaf wrth y cei, y
dŵr oddi tanom, a'r haul yn disgleirio ar ein gwydrau gwin.
Roedd yn ganol Tachwedd ond yn anhygoel o braf wedi
mwrllwch gaeafol Cymru. Diflannai un potel o'r Vinho
Verde ar ôl y llall wrth i Ioan fownsio'r sgwrs at y gweddill
ohonom, ein hwyliau a'n hysbryd yn codi gyda phob
gwydraid.

Ymlaen â ni wedyn i ymchwilio o ddifri i'r Ffado gan
ddechrau mewn bar mawr, castellog yn uchel yn y Bairro
Alto, a addurnwyd â hen dapestri. Yn fuan wedi i ni setlo i
mewn, cyrhaeddodd pump o hen fois gyda bobi acordion
ar gyfer eu hymarfer wythnosol. Roeddem wrth ein
boddau yn gwrando ar hen alawon a mwynhau'r cwmni
cyfeillgar, ond rhaid oedd parhau â'r ymchwil a chael
rhywbeth yn ein boliau. Nid peth doeth bob amser yw
dilyn 'Geid' twristaidd ond roedd ein llyfr ni'n gywir i
argymell bwyty bach, hanner ffordd i lawr y bryn, wedi ei
leoli mewn hen sgwâr caregog, wedi ei oleuo â lampau
melyn yn perthyn i'r oes o'r blaen. A gwir y dywedodd y
'Geid': wedi arlwyo'r bwyd, daeth staff y gegin allan i ganu
caneuon Ffado, pob un yn eu tro heb gael eu cyflwyno,
mewn cystadleuaeth fach gyfeillgar – oedd yn fy atgoffa
rywsut o'r Plygain.

Roedd Ioan, fel y gweddill ohonom, wrth ein boddau ag
awyrgylch fywiog, anffurfiol y lle, lle'r oedd y traddodiadol
yn dod yn fyw ac yn ein cludo ar draws amser. Roedd ein
bwrdd ni ar bwys y ffenestr, yn edrych i lawr dros y sgwâr,
ac ro'n i'n methu penderfynu p'run o'n i'n ei fwynhau
fwyaf: y miwsig hiraethus, yr olygfa ramantus, neu felyster
y gymdeithas o ffrindiau ...

Gorffennon ni'r noson, am y trydydd tro o'r bron, ym

mar jazz lliwgar a bywiog y Paginas Tantas, lle'r oedd merch drawiadol o Groatia yn canu caneuon ffyncaidd gyda'i grŵp ifanc, brwd. Er bod yr awyren yn gadael yn gynnar y bore wedyn, roedd bron yn amhosib gadael y lle, ond dyna fu raid i ni, gan gyrraedd nôl i'n fflat Air BNB yn gynnar fore trannoeth.

Wedi colli Ioan, mae'n anodd ein dychmygu ni'n mynd ar daith arall. Dy'n ni dim yn mynd fymryn yn iau, a beth fyddai'r pwynt, heb ei ddawn i bryfocio ac i sbarduno sgwrs? Ond, yn bendant, dyna fyddai ei ddymuniad: bod y gymdeithas yn parhau.

Ymdrech i gynhesu yn Berlin

FFRINDIAU O IWERDDON A'R ALBAN

A *dear friend*

Morag o'r Alban

The Early Days

I met Ioan back in the 1960s – 1968 to be more precise, on Saturday 3 February in Cardiff. A busload of members of Edinburgh University Nationalist Club had hired a bus and we headed down to Cardiff for the weekend. I don't remember any accommodation – we just slept on the bus on the way down and left later after the rugby. By the time we left, my friend (Patricia) and I had fallen into the company of Ioan and some nationalistic Welshmen, including Dr Gareth Morgan Jones (the well-known expert on Afghan Hounds, as Ioan used to introduce him). As we got back on our bus, Ioan and Dr Gareth Morgan-Jones attempted to come with us on the bus but were thrown off by the driver. Undeterred they announced plans to come up to Edinburgh the following weekend.

From the start, Ioan and I were just friends and remained so for the rest of our lives. We just got on. My friends were more or less all Scottish Nationalists so we were politically on the same wavelength. Ioan also liked to enjoy himself – and so did we. As I was living in a bedsit in the south side of Edinburgh, Bruntsfield, I had no room to put people up (nor did I want to put up two strange

Ym Mhorthdinllaen gyda Morag Dunbar

Welshmen) so I booked them into a local small respectable looking hotel. To everyone's surprise and amusement, it turned out to be the haunt of transvestites – which Ioan and Dr Gareth M-J were not. I ended up having to look after the two of them as my friend, Patricia, had taken cold feet so I introduced them to the student pubs of Edinburgh – something I was delighted to repeat a few years ago with Lois and her boyfriend, Tomos, when they visited Edinburgh for a rugby match.

With friendships formed, a series of repeat visits followed with me driving down to Wales in my Morris 1000 Traveller with numerous enthusiastic passengers. It was pre-M6 so involved a drive over Shap Fell which did not seem to hamper the journey. Although I do not remember the village Ioan lived in then, he was working for *Y Cymro*. There were two dubious houses one of which was where he lived; next door were friends, and I remember our choice of which one to sleep in was made by the number of fossilised spiders in the bath. The houses were near a church and on Sunday mornings the devout worshippers had to drive past the house with numerous unhealthy-looking residents and Scottish friends sitting outside, some drinking out of cans. I think it might have been Brains beer which we Scots thought was rubbish (polite assessment).

By coincidence, Ioan's father had a Morris 1000 Traveller which Ioan used to borrow for his trips up to Scotland. Ioan had a brilliant sense of fun and, on one of his visits, I ended up going to the hairdressers with a Teddy Millward campaign notice stuck to the back of my fashionable PVC coat. It was during this election campaign that Ioan met Alwena and, when I went down to Wales next with my boyfriend, we were introduced to Alwena (I *think* she was in her school uniform at the time).

Ioan and Alwena
We went on holidays together. The first one was when I was married to my ex-husband, Jimmie, and Ioan suggested the four of us went to Norway on holiday. Alwena was now engaged to Ioan. We arranged to meet in Newcastle and leave a car there, heading over to Norway in one car. Ioan had volunteered to be in charge of the food; we should have known this was not a good plan as food was never high on Ioan's priority list. When he opened the boot of his car, it revealed numerous tins of mince and spam and packets of smash. By the end of the trip I had developed a reluctant liking for fried spam and smash. Camping is a wonderful thing for refining the palate! The holiday was of mixed success. We had not realised that camping in the mountains of Norway in September would be so very, very cold. We had also not been prepared for the lack of pubs. After a week with our drinking limited to

passing bottles of whisky between us in the toilets or sneaking vodka into our drinks in the hotels (no pubs then) we finally decided to drive to Denmark where drinking laws were more relaxed. Ioan suggested we drive through Sweden, without stopping. However there was one emergency stop when we had to push the car off the main road to a petrol station where we paid for two litres of fuel to get us over the ferry to Copenhagen. Then the holiday began to improve as Denmark had a healthy drinking attitude.

By this time there were two more close Scottish friends in Ioan's life who soon became part of Alwena's. They were John Ross and his partner, Christine Boatwright, both former members of Edinburgh University Nationalist Club. By the time Ioan and Alwena got married, John and Christine were both resident in England and made numerous pilgrimages to visit. I think Ioan and Alwena would have been in their house near Wrecsam at the time. Sadly John and Christine are no longer with us.

I used to be involved with a group of poets and singers known as the Heretics and we would arrange evenings in Edinburgh with recitations by well-known, and lesser-known, poets and songs from various folk-singers. Ioan met some of them and mentioned that he would like to interview Hugh MacDiarmid, a nationalist poet and writer and a rather interesting but very awkward and sometimes impatient person who did not suffer fools gladly. Through contacts in the Heretics, Ioan managed to get a meeting with the great man, who was not in the best of health and was protected by his fearsome wife, Valda. Valda had a habit of limiting interviews and throwing journalists out after the allotted time but, when she went to tell her husband that his interview with Ioan was over, he told her to leave them alone. Ioan was very, very proud of that interview. MacDiarmid was a literary genius that not many people got near to.

When Ioan and Alwena got married in Dinas Mawddwy, John, Christine, Jimmie and I came down for the event. We had a wild night before the wedding which meant one or two Welsh people, who shall remain nameless (Dai Banjo!) were feeling rather fragile, not the hardy Scots. However all recovered and it was a great wedding which the happy couple had to leave midway through the evening (following tradition) and were forced to listen to the enjoyment from their hotel room in the nearby annexe. As I remember Dai Banjo got stuck in a hedge at one point and was almost thrown out of the hotel for kicking the bar while singing. We were in his company but were not threatened in any way.

We liked 'The Red Lion' so much that we stayed on after Ioan and Alwena departed on their honeymoon the next day. The owner lent us a tent, as we were running out of money to keep staying in the hotel, and after a couple of days we headed back to Scotland to join the happy couple on their honeymoon, as Scotland was where they had chosen. We met up on the island of Skye in the small town of Kyleakin, where the ferry from Kyle of Lochalsh used to arrive, now bypassed by the new bridge. The hotel they had chosen is much the same today as it was then, probably an undeserved 3 star. Alwena was sporting a large bandage on her thumb; Ioan had shut it in the car door.

As you can imagine we had quite a wild time; weather in Skye is usually damp and the honeymoon weather was no different. This meant a lot of time spent indoors in the bar. As a result Ioan became rather bold and, considering himself a bit of a storyteller (which he was) he decided to tell a very dodgy joke to the entire bar. It was the dreadful one about the Welsh miner on honeymoon. Skye at that time was depressingly Presbyterian and Alwena, Christine and I was worried Ioan might get lynched for his lack of propriety. We hid in the Ladies toilets and waited for the punch line. To our surprise, and great relief, we heard loud laughter and applause. Ioan had survived. Later that day in the afternoon, Ioan was feeling a bit 'tired and emotional'. For some reason he decided to sleep on the back seat of our car (an old Saab 96) and was unconscious for a couple of hours.

The following morning, Jimmie and I set off on the ferry to get home first as Ioan and Alwena were coming to stay with us. We also wanted to make a restaurant booking for later that evening when they were due to join us in Balerno just outside Edinburgh. On arriving home we unpacked the car then noticed a bunch of keys on the back seat – Ioan and Alwena's car keys. They had fallen out of Ioan's pocket when he 'rested' in the car. Meanwhile on Skye they had had to get the AA to come all the way from Inverness, 3 hours away and over on the ferry to rescue them. They did make it down in time for the meal which was moved to a much later time.

When Ioan and Alwena were living in Pontypridd there were occasional trips up for the rugby. Once they had the children it tended just to be Ioan and one year he decided to introduce a lovely man – Glyn Watkins – to Scotland. Glyn and his wife were an older couple who lived in Pontypridd. Dai Banjo was living near Castell Coch so the three of them headed up to Scotland to stay with me in the late 80s. Late afternoon, around 6pm, I got a phone call to tell me they were only 30 minutes away in the village of Carnwath and having a stop for a pint (as you do). I put the dinner, a stew, in the oven and set the table and waited, and waited. Two hours later they arrived with a bottle of whisky which they had won – FOR SINGING. Now, anyone who knows Ioan knows how unlikely this is. Alun Ffred even said in the eulogy that, on Ioan meeting Alwena, 'In time a successful duet was formed, one with a voice like an angel and one with no voice at all'. How on earth he managed to win a bottle of whisky for singing is still a mystery. He was naturally very proud of this episode. We were dumfounded.

Filming in Scotland

Ioan made a programme which involved going round Scotland (and Ireland) finding Welsh people who were living in the country who had stories to tell. When he was in Scotland we met up but I was not with him when this episode occurred which he told against himself and caused us much amusement.

He and the crew were staying in the lovely village of Dunkeld, north of Perth. They were staying in the Atholl Arms Hotel, a very nice typical Scottish hotel which at the time (1980/90s) did not specialise in en-suite accommodation. After a night of typical Scottish enjoyment, they retired to bed in their appointed rooms. At some hour of the night, Ioan awoke with the need for a pee. This meant leaving his room and heading along the corridor which he did. Apparently pyjamas and dressing gown had not been packed and so he headed out starkers to find the toilet. His room door closed firmly behind him. After finding the loo then heading back to his room, he found that the door had shut and could not be opened without a key which he had omitted to think about. Being a resourceful person he returned to the bathroom and wrapped himself in a towel then slept in the bath till he heard the sound of the cleaners in the morning. He then had to ask one of them to open his door and, clad in a towel, he got back into his room and into bed.

Camping in Ireland

When we first started going to Ireland camping with Ioan and Alwena, it was usually the four of us – John, Christine, Jimmie and I who went. We would go first to Doolin in County Clare then drive down to the Killimer Ferry to Kerry, spending roughly a week in each place. During the height of the troubles we would cross over from Liverpool to Dublin. I remember asking where the campsite was in Doolin and being told to drive along till we saw the 'No Camping' sign. That was where you camped.

Drinking and singing was in O'Connor's pub, still there today and about three times the size it was then. Mrs O'Connor used to feed us plates of sandwiches to keep us going with the music. Like Kerry the weather could be foul and we got little sleep. We were singing and enjoying ourselves all day then failing to sleep at night because of the Atlantic storms. After one particularly awful summer, we asked Gus O'Connor if he could find us a cottage nearby for the following year. When we turned up, he had obviously forgotten but did manage to find us a pot-holers' cottage (well, not really a cottage but a simple building with a kitchen then a corridor with rooms off it). Ioan nicknamed it 'H Block' as the floor was concrete and the sound the doors made when they shut was rather like a prison. It was in the nearby town of Lisdoonvarna which, at that time, was a dilapidated former spa town with hotels like the Ritz and the Savoy which had seen better days. Our accommodation was fairly grim but we just spent time in it sleeping and it was dry which was the main thing.

We always enjoyed a stop in the town of Ennistymon between Doolin and the Killimer Ferry. This was pre-drink/drive days so we would stop in a little pub we had discovered for a couple of pints and some craic. The lady of the house, who served in the pub, was a very well-educated and intelligent woman and had great conversation. Her husband was a real character who did not keep in the best of health but was always delighted to see us. Ioan had discovered a gem of a fact – the man had been a close friend of the legendary 'Sean South of Garryowen'. This was a song we all knew, some better than others and it was always requested in this pub. Ioan had occasion to go separately to Ennistymon later in his television days. The lady in the pub wrote for the local paper and there was a subsequent headline along the lines of 'Welsh Television Personality Visits Ennistymon'. Alwena may still have the headline and article to show you. I am sure I remember seeing it.

In Ballyferriter, Ioan introduced us to Donal O'Cathain and his pub and we had great singing nights in there. There were still quite a few native Irish-speakers around and so we did hear some authentic singing, which you rarely do now. An older man was often very involved in organising the singing, a Christian Brother and his name was Joey; we used to enjoy his company. He turned out to be Geri Rogerson's Uncle. A few years on we meet Scott and Geri. Scott was a real character and both got on well with us all.

My marriage broke down in 1984 and for a few years I did not go to Ireland on holiday but went, with John and Christine, to Brittany. It was in the 90s that I started going back over with other Scottish friends. We did not camp anymore and were not into caravans so started staying in guest houses and, laterally, in cottages near the Wine Strand.

I have just booked our cottage for 2020 although it is going to be a bit different this year.

A *bond that can't be broken*

Geraldine Rogerson

When Ioan rang 229 (our home number) one January day we were out. We had met the previous summer one particularly wet week in Ballyferriter in West Kerry when the only refuge from our wet tent was O'Cathain's pub, which at that time had a pool table. Our kids played avidly and thought they were great. When Alwena challenged Rory to a game he, full of 23-year-old swagger, thought he was onto a good thing. Little did he know that one of Alwena's many talents was her prowess at pool ... especially against a lad who only played on wet holidays! At the end of the week we all exchanged addresses, as we did in those pre-techie days, and I sent a Christmas card, in Irish of course.

Back to January. Rory answered the phone. Ioan was coming to Dublin for the rugby weekend and would like to meet up with us.

'You should know,' said Rory, 'that people are not the same at home as they are on holidays.'

'I'm willing to take a chance,' responded Ioan. I'm so glad he took the chance.

It was a great weekend. We met Ioan with Dewi Bebb and Don Llewellyn in a raucous Madigans in Donnybrook. Later I drove them to their hotel, the three of them singing

Welsh hymns … Yes, Ioan was singing, while Scott harmonised wordlessly.

Ioan had no ticket for the match so we spent the weekend revisiting pubs he already knew and introducing him to some new ones. It was that weekend that cemented the friendship that was to last almost 40 years.

In Kerry the following year Ioan and Alwena met our best friends, Treas and James, and our sextet was complete. Ever since then the two weeks after the Eisteddfod were not missable. When you spend two weeks in close proximity, often during foul weather, sharing the experience of collapsed tents, sodden sleeping bags, flyaway awnings, screaming babies, whinging toddlers and sulky teenagers you form a bond that can't be broken. Of course there were glorious days too and there was never a summer when we didn't see a magnificent sunset over the Three Sisters – our photo collections and screen-savers will attest to that.

Our original group, like Topsy, grew and grew. Our own families became young adults our grandchildren came to love Kerry (so will Cadi, soon!). As we worked our way from ridge tents to frame tents to trailer tents and finally to caravans our numbers increased. Brothers, sisters, cousins, friends started to come to Kerry but we six were always The Founders and no matter the numbers we always ensured that we had one night out together.

We stay in houses now and last summer 'our gang' numbered over 50. It's wonderful to share this magical time with our great Scottish friends, especially Morag who was there from the start. A virtual choir of Welsh Friends share a house and their music and company is a joy.

Of course, our friendship went far beyond Kerry. Scott and I often visited Pontypridd and Pwllheli during my half-term breaks and for the past twenty years we six have spent New Year together, alternating between Wales and Ireland

*Ffrindiau Gwyddelig – yng nghwmni Scot Rogerson, Treas
O'Byrne, Geri Rogerson a James O'Byrne*

with a trip to Scotland and a memorable Paris Disney
(which Scott and I missed) thrown into the mix. Ioan was
at all our family weddings (thanks for the videos Ioan) and
we shared in the celebrations of all our 'big' birthdays and
some wedding anniversaries.

When Scott died I felt it was the end of an era and of
course it was in many ways. But we carried on and it was
due to Ioan and Alwena and Treas and James that I was able
to cope. We six had become five but I was still included in
everything. Now another era has come to an end but we
four will carry on, difficult though it seems just now.

I must say how Ioan changed the way I thought about
Ireland and my Irishness. Amidst all the fun and joke, the
music and wine and the late, late nights there were lots of
political debates, occasionally heated. But the lesson I
learned was not to take my Irishness and my beloved
language for granted but to guard and cherish them.

Go gcoinne Dia I mbos A laimhe e.

An Old Irish wish for the deceased, 'may God hold him
in the palm of His hand.

Having met on the Dingle Peninsula …

James O'Byrne

My wife Treasa and I met Ioan and Alwena in August 1982 on an unserviced field on the Dingle peninsula. The field was surrounded on three sides by the sea with a sheltered beach called the Wine Strand on one side and a more open beach, Cúl Dorcha, on the other. Each of us had trailer tents at that time which we pitched there in August for many years thereafter until we graduated into caravans and more lately into a Wine Strand cottage, which the four of us share with Gerry Rogerson.

We seemed to hit it off straight away and over the years it developed into a friendship as close as I have ever had. One thing we had in common at the start was that I had just left employment in the public sector to become self employed and Ioan was in the process of a career change as well. Many nights that first week we sat in our awnings until the small hours of the morning, with a little help from 'Jameson', talking about our hopes and fears for the future. As the night wore on the conversation often veered towards politics and almost always ended up on religion.

We had four children at the time, the youngest of whom was Caoimhe, who was five and a half years old. She took a

Y Celtiaid yn ymuno ym Mhenrhyn Dingle

shine to Ioan and Alwena and they to her. Quite often if we were going in to Dingle or Ballyferriter Caoimhe would travel with Ioan and Alwena. One of the games they played in the car was to talk for a minute about a topic without saying its name. Caoimhe was asked to talk about cars. Her answer went something like this. 'You can go places in them. Some of them go and some don't. Ours usually doesn't'. Interestingly Caoimhe did her teacher training in Carmarthen and Ioan picked her up from the ferry and drove her down for the interview. Caoimhe returned to Ireland with her teacher qualification and a Welsh boyfriend, Jonathan Davies, who is now her husband and father of her two lovely children.

In 1985 we were blessed with twin daughters who are a few months older than Sion. One August when they were about three they were playing with Sion in a little sand pit close to our trailer tents. Our two came in crying saying Sion was throwing sand and it was going in their eyes. Ioan said tell him 'Paid!'. In unison the girls replied 'we did and he didn't'.

I think that was the year Ioan sent a postcard to Wil Sam saying he had bad news and good news. 'The bad news is Sion is speaking English. The good news is he is speaking with an Irish accent.'

About twenty years ago we started celebrating New Year together in different venues around Ireland and Wales on alternate years. Initially there were six of us including Gerry and Scot Rogerson. Sadly Scot died eleven years ago. The five of us were to celebrate New Year 2020 in Cardiff, but sadly it turned out we were celebrating Ioan's life and funeral. Only a few hours before Ioan died we had a 'Whatsapp' from Alwena saying how they were looking forward to meeting us in Cardiff the following day. We have lost a very good friend whom we cherished dearly. There will be no more setting the world to right in the small hours of the morning with the help of a 'little' Jameson or Penderyn.

Y*muno* â'*r* Cymro

Erthygl gan Ioan yn *Llanw Llŷn*

Doedd Mr Gavin Gibbons fawr o feddwl pan aeth ar gefn ei feic i bostio llythyr ar fore gaeafol yn 1967 y buasai ei daith yn gadael ei hôl ar yrfa llanc ifanc o Lŷn. Syllu drwy declyn o'r enw 'theodolite' yr oeddwn pan barciodd yn fy ymyl, sgarff dros ei glustiau a menig merch yn cyrraedd hyd at ei ddau benelin. Holodd beth oedd cynlluniau Cyngor Tref Amwythig i ledu Stanley Lane, lle'r oedd yn byw. Wedi clywed fy acen trodd at Gymraeg gor-gywir *Teach Yourself Welsh* gan esbonio ei fod o'n siarad 11 o ieithoedd. Doedd hynny yn ddim byd meddai, roedd ei wraig yn siarad 13.

Yn fuan wedi'r cyfarfyddiad, magais ddigon o blwc i guro ar ei ddrws efo llyfr nodiadau yn fy llaw a thynnwr lluniau wrth fy sawdl gan broffesu bod yn newyddiadurwr rhan amser. (Y diwetha y clywais amdano ar ôl hynny oedd ei hanes yn talu dyled i'r Cyngor efo berfâd o geiniogau.) Cyhoeddodd *Y Cymro* y portread ohono a gofynnodd y golygydd, Llion Griffiths, i mi sgwennu mwy. Daeth yr hobi'n fwy o hwyl na darparu carthffosiaeth i bobl Amwythig ac ar ddydd olaf Mawrth 1969 ymunais â staff y papur. Cychwynnais wasanaethu *Y Cymro* yn 1955 drwy ei werthu ar faes Steddfod Pwllheli pan gafodd fy athro

Cemeg, Mr Huw Roberts hwyl am fy mhen am na allwn ddod o hyd i'r pris.

Gwasgwyd i'r wyth mlynedd o wasanaeth i'r *Cymro* y dringo i gopa'r Wyddfa, a chyrraedd gwaelod pwll glo y Maerdy, pentref Aberfan, Ysgol Bryncroes a phencadlys y Farchnad Gyffredin. Y lle mwya annisgwyl efallai, oedd y tu mewn i gastell Caernarfon yng Ngorffennaf '69. Es yno mewn jîns, fel rhyw fath o brotest fach bersonol, gan dawelu fy nghydwybod drwy ddweud bod yn rhaid i ohebydd gofnodi'r drwg yn ogystal â'r da.

Pobl, wrth gwrs, yw prif ddiddordeb darllenwyr ac un o brif gymwynasau'r *Cymro* oedd rhoi cyfle i mi gyfarfod rhai o arwyr llencyndod. Gan obeithio na ddehonglir hyn fel 'dangos fy ngorchest' – y pechod mwyaf yng ngolwg Mr Davies yn ysgol Llidiardau – mi soniaf am un ohonynt.

Roeddwn wedi cyfarfod â D.J. Williams cyn i mi gefnu ar beirianneg sifil a hynny yn y lle chwech yng ngwesty'r Twelve Knights yn Aberafan. Roedd tri ohonom wedi sleifio i mewn i siafio o faes pebyll yr Eisteddfod pan gerddodd o i mewn. Tra oeddwn i'n pendroni sut i gychwyn sgwrs drwy'r sebon siafio dyma'r 'wên na phyla amser' yn serennu arnom a holi. 'O ble'r ry'ch chi'n dod 'te, bois?' Pan enwyd Rhoshirwaun dywedodd, 'Wel do, do, rwy i wedi bod lan yn Llŷn ...'

Yn ei gartref yn Abergwaun, ychydig fisoedd cyn ei farw y cefais sgwrs iawn efo fo a'r *Cymro* erbyn hynny'n cyfiawnhau y gallwn fod yn fusneslyd. Yr hyn a'm syfrdanodd oedd ei gof: wrth ddisgrifio gwyliau yn Iwerddon adeg terfysg gwleidyddol 1921, gallai enwi pob gwesty a phob stryd y bu'n aros ynddynt. Sgwennais y portread o D.J. mewn pabell ger Pwll Gwaelod yn Sir Benfro a'i bostio i Groesoswallt cyn crwydro i hel mwy o straeon. Wedi i'r portread ymddangos, daeth llythyr mewn ysgrifen grynedig yn diolch am y portread. Llythyrau canmoliaethus fel hynny oedd ffordd D.J. o annog pobl i ddal ati.

Atgofion plentyndod Ioan – y dybldecars yn Llŷn

Y Cymro '69

Mae gen i frith gof o'r bysus a fu gynt – rhai bach myglyd, bob amser yn llawn hyd y drws. Clywais lawer o sôn am eu rhagflaenwyr hwythau, y bysus bach lleol a ddilynodd y goets fawr, fel bysus Tocia a bysus Pwllciw. Ond yn fuan ar ôl fy ngeni i, ganwyd y dybldecars a nhw oedd fy nuwiau cyntaf.

Roedd sôn amdanyn nhw ymhell cyn iddynt gyrraedd: yn wir roeddan nhw'n cyflawni gwyrthiau yn barod. Un o'r saith rhyfeddod oedd gweld y dynion bysus, a anwyd yn fy nhyb i mewn dillad duon, cap pig a bag pres, yn llewys eu crysau ac mewn capia stabal yn torri brigau coed i wneud lle i'r bwystfilod fynd trwodd, heb ddim byd ond streipan goch ar eu trywsusau i brofi mai dynion bysus oeddan nhw.

Hir yw pob ymaros, ond pan ronciodd y dybldecar cyntaf drwy Roshirwaun, ni siomwyd yr un plentyn gan yr olygfa. I ni, am gyfnod go hir wedyn, y fan nesaf at y nefoedd ym mhob ystyr oedd y set flaen yn llofft y dybldecars.

Âi fy nhad â fi i baradwys – roedd yn well gan Catrin a Mam aros yn y gwaelod, rhag ofn i'r bws droi. Oddi yno y gwelais i gyntaf dros y wal i ddirgel fannau Coed Nanhoron, dros y rhosydd porffor i draeth Abersoch, a hwnnw'n frith o hwyliau, a thros y môr i fynyddoedd lledrithiol Meirionnydd, lle disgwyliwn weld Owain Glyndŵr yn arwain ei fyddin, neu Luned Bengoch yn marchog drwy Bumlumon ... Ond doedd dim amser i freuddwydio, fi oedd yn dreifio'r dybldecar.

Ar ôl cyrraedd adref, allan â'r cap pig papur, y rôl ticedi a'r pres cogio. Yn fy mreuddwyd fi fyddai'n hel y ffêrs a chanu'r gloch yr holl ffordd o Bwllheli i Aberdaron ...

Gwaith ar y bysus: gwyliau'r coleg

Y Cymro '69

Drwy ryw wyrth, daeth breuddwyd fy mhlentyndod yn wir. Bu llawer o bwyso a mesur cyn derbyn y swydd dros gyfnod y gwyliau. Beth pe bawn i'n methu gwneud syms a chofio'r ffêrs, cofio lle roedd hwn a hwn eisiau gadael y bws a sut y gallwn gadw trefn ar y criw bywiog ar y bws diwetha. Ond pres poced a gariodd y dydd ac am bum haf yn olynol, cefais ddybldecar, bag pres, a phobol go iawn i ofalu amdanyn nhw. Yn y fargen, o blith profiadau digon chwerw ar y pryd, cefais atgofion a wna i mi chwerthin weddill fy oes.

Roedd yna hyfforddiant yn gyntaf, chwech ohonom yn eistedd mewn bws yn y garej a'r condyctor mwyaf profiadol yn ein tywys drwy deithiau dychmygol: "Da ni yn Pentrefelin rŵan. Mi gymera i dri singl a dau return i Dremadog a thri hanner singl i Benrhyndeudraeth a ma gin i hefyd ddau gi ac un goits ...' Ond roedd 'na hen longwr yn ein mysg a chyn diwedd y diwrnod cyntaf roeddan ni i gyd wedi cyrraedd Hong Kong!

Yr wythnos wedyn roeddwn ar y bysus. Roedd hi'n ddigon o laddfa hyd yn oed ar lonydd cyfarwydd Llŷn, ond yn gan mil gwaeth pan fu'n rhaid mentro i'r Bermo efo dreifar oedd hefyd yn was newydd. Ym Maentwrog roedd y bws dan ei sang, finnau'n chwysu chwartiau, yn melltithio dan fy ngwynt wrth ymlafnio hefo'r peiriant ticedi. Yn sydyn, dyma'r Cymry ymhlith y teithwyr yn dechrau bloeddio fel brain o'u co – roeddan ni wedi troi i'r chwith yn hytrach nag i'r dde ac yn ei gwneud hi am Drawsfynydd. Yna, er mawr ddiddanwch i'r teithwyr, bu'n rhaid bacio rhyw ganllath a throi yn ôl.

Dro arall taith anfarwol i Aberdaron. Hwn eto yn 'ddreifar haf' yn hen gyfarwydd â dreifio lori, ond yn anghofio bod llwyth o bobol yn llawer mwy nerfus ac ofnus na llwyth o ddefaid. Mynd fel fflamia – roeddan ni'n hwyr yn cychwyn – a'r teithwyr yn holi wrth ddal eu gafael yn dynn, 'Rargian pwy 'di'r dreifar 'ma sy gynnoch chi? Dydi o ddim ffit!' Trio newid gêr ar lôn Penrhos, ond y bws yn anfodlon. Cynnig arall, dim ymateb ond rhygnu aflafar. Pen-glin ar y llyw a thynnu â holl egni dwy fraich – sŵn annaearol ond heb fod i ddim diben.

Erbyn hyn roeddan ni bron yn ein hunfan a dyma finna'n neidio i lawr gan fwriadu cael sgwrs efo'r dreifar am yr argyfwng. Ond yr eiliad y tarodd fy sodlau ar y lôn, gwnaeth hwnnw un ymdrech angerddol arall a'r tro hwn llamodd y bws i'w gêr ac i ffwrdd â nhw fel cath i gythraul gan fy ngadael innau yno'n hurt ynghanol cwmwl o fwg glas. Oni bai i un o'r teithwyr ganu'r gloch buasai cyfran dda o boblogaeth Llŷn wedi cael siwrne rad i Aberdaron y pnawn hwnnw.

Hen lanc o Roshirwaun wedyn, ar ei ffordd adref o Aberdaron ar ôl bod yn dathlu Gŵyl y Banc. Codi hen diced oddi ar y lôn a'i gynnig i mi.

'Wneith hwnna ddim.'

'Pam?'

'Singl ydi o.'

'Singl ydw inna hefyd!'

Roedd Now Tangofar yn ddreifar bws profiadol. Roedd yn hen gyfarwydd â hyd a lled pob modfedd o'r ffordd rhwng Aberdaron a Phwllheli. Un pnawn daeth wyneb yn wyneb â char yn llawn o ymwelwyr ar ran eitha cul o'r ffordd. Roedd Now wedi aros yn amyneddgar mewn rhan ychydig lletach er mwyn i'r bws a'r car basio'i gilydd. Ond gwrthododd dreifar y car symud. Felly, camodd Now o'r bws, a mynd allan i eistedd yn hamddenol ar ben clawdd a thanio'i bibell, gan adael y bws yn llawn o deithwyr heb ddreifar. O'r diwedd cafodd y Sais ddigon o blwc i fynd heibio iddo fodfedd wrth fodfedd yn ara deg bach. Mynegodd ei ddicter!

'What's wrong with you?'

'You got through didn't you?' meddai Now wrtho, gan roi ei bibell yn ôl yn ei boced a mynd ymlaen ar ei siwrne.

Dro arall roedd Now yn dreifio yn Nhwnnel Mersi yn fuan ar ôl iddo gael ei agor. Er bod arwyddion yma ac acw i ddweud wrth yrwyr am aros yn eu lonydd, roedd Now wrth ei fodd yn rhyfeddu at y twnnel ac yn tueddu i anwybyddu'r arwyddion wrth symud o'r naill lôn i'r llall. O'r diwedd cafodd ei stopio gan yr heddlu.

'What do you think you're doing? Have you not driven in the tunnel before?'

Atebodd Now, 'No! Beautiful isn't it!?'

Portread:
Y Parch. Lewis Valentine

Y Cymro yn y chwedegau

'Dw i ddim yn wleidyddol wrth anian. Petai Cymru'n wlad rydd, ddiogel fyddwn i ddim wedi ymhél â gwleidyddiaeth o gwbl,' meddai Lewis Valentine wrthyf. Cofiais glywed union yr un geiriau gan D.J. Williams ychydig cyn ei farwolaeth a sylweddolais mor debyg oedd personoliaeth y ddau: yr un cyfuniad o gadernid a doniolwch, yr un argyhoeddiad heb arlliw o chwerwedd.

Dechreuodd Lewis Valentine ymhél â gwleidyddiaeth yng ngholeg Bangor wedi iddo ddychwelyd o'r rhyfel gan ymuno â Chymdeithas y 'Tair G' a ddaeth ynghyd yn ddiweddarach i ffurfio Plaid Cymru. Parhaodd i fynychu'r cyfarfodydd yng Nghaernarfon pan adawodd y coleg a chychwyn fel gweinidog.

'Âi'r cyfarfodydd yn faith gyda llawer o siarad diamcan. Roeddwn i'n gadael mewn diflastod ... A dyma glywed bod criw bychan o genedlaetholwyr yn y de yn cyfarfod, yn cynnwys Saunders Lewis, Ambrose Bebb, D.J. ac eraill. Anfonwyd at y rhain i ofyn fydden nhw'n ymuno efo ni i ffurfio plaid genedlaethol a daeth llythyr yn ôl gan Saunders yn cynnwys amodau.'

Yn ystod Eisteddfod Genedlaethol Pwllheli ym 1925

daeth cynrychiolwyr y ddwy garfan ynghyd i ffurfio'r Blaid Genedlaethol gyda'r Parch. Lewis yn Llywydd cyntaf arni.

Holais ef, pa mor obeithiol oedd yr arloeswyr cynnar hyn ynglŷn â'r frwydr o'u blaen? 'Efallai ein bod ni'n naïf yn credu y byddai'r mudiad yn uniongyrchol boblogaidd, yn llwyddo'n anghyffredin. Does gan y bobl ifanc heddiw ddim syniad beth oedd byw yng Nghymru cyn sefydlu'r Blaid – roedd pethau'n anhygoel o Seisnig – hen ddyddiau taeogaidd.'

Yn 1929 ymladdodd y blaid newydd ei hetholiad cyntaf yn etholaeth Arfon gyda'i Llywydd yn ymgeisydd. 'Rwy'n cofio mynd i un o gyfarfodydd yr ymgeisydd Llafur R.T. Jones yng nghyffiniau Groeslon ac yntau'n gofyn beth oeddwn yn ei wneud yno. 'Mi gadeiria i ichi,' meddwn, 'os cadeiriwch chi fy nghyfarfod i wedyn.' Ac felly y bu, ac ar ddiwedd ein cyfarfod ni fe alwodd ar rai o'i weithwyr i ddosbarthu ein llenyddiaeth. Trafeiliwn ar foto beic i bob rhan o'r etholaeth a'r peth sy'n rhyfeddol yw mai fi oedd yn cael y cyfarfodydd mwyaf. Roedd croeso a brwdfrydedd ym mhobman – popeth ond pleidlais.'

Y canlyniad: deunaw mil i'r Rhyddfrydwr a chwe chant a naw hanesyddol i Lewis Valentine. Ond meddai, 'mae'r Blaid wedi bod yn fodd i fyw i mi ac rwy'n diolch i Dduw bod y mudiad yma wedi codi yn fy amser i ac i mi gael cyfle i chwarae rhan ynddo. Bu'n gymdeithas llawn asbri, cyfeillgarwch ac ymddiriedaeth na fu mo'u tebyg. Meddyliwch am D.J. er enghraifft gyda'i ddawn i oddef ffyliaid yn llawen.'

Adroddodd stori am y ddau'n cerdded i fwyty yn Abergwaun a D.J. yn gweld trempyn yr ochr arall i'r stryd. 'Aros funud, Val,' medd D.J. 'Rwy'n arfer ca'l gair 'da hwn.' Croesodd y stryd i gyfarch y trempyn. Pan ddaeth yn ôl dywedodd Val wrtho, 'Mi ysgydwaist ti law efo fo yn hwy nag oedd angen. Rhoddest ti rywbeth iddo fo, ond do?' 'Rodd rhaid i fi roi hanner coron bach iddo fe,' atebodd y blaenor Methodist, 'rodd isie peint arno fe a dim arian 'da fe i ga'l un.'

Testun edmygedd mawr i D.J. oedd pobl ifanc Cymdeithas yr Iaith Gymraeg, oherwydd eu hunan aberth diflino, 'Nhw yw'r rhai cyntaf i dorri'n gwbl rhydd o'r pedair canrif o waseidd-dra a dreiddiodd i'n heneidiau fel Cymru – maen nhw'n distrywio'u rhagolygon am swyddi parchus ac yn herio'r cyfan dros yr achos y credant yn angerddol ynddo.'

Llai cyfarwydd yw'r darlun o Saunders Lewis drwy lygaid Lewis Valentine. 'Dyw Saunders ddim yn datguddio ei hunan i bawb. Mae'n ddyn anodd ei adnabod, ond yn ddyn syml a chrefyddol iawn yn y bôn. Mae o hefyd yn ddyn swil iawn – does dim llawer yn sylweddoli hynny. Rwy'n credu bod cyfarfod pobl yn boendod iddo. Ond i'r sawl gafodd fynd drwy'r cylch yna, i'w gyfrinach o, mae na fawredd anghyffredin yn Saunders. Mae o wedi medru meddwl ei ffordd yn gadarn ac yn sicr – ac mae o'n medru bod yn dirion.'

Darlunnir hyn drwy stori am ddiacon o Ddyffryn Conwy, ar ôl y cyfnod yn y carchar yn dilyn Penyberth, a chanddo un dymuniad cyn marw, sef cyfarfod Saunders, er nad oedd ganddo fawr o ddiddordeb mewn gwleidyddiaeth.

'Roedd Saunders a fi ar y ffordd i gyfarfod ym Mlaenau Ffestiniog, a soniais am yr hen gyfaill. Cytunodd i alw i'w weld. Cyflwynais y Pabydd, Saunders Lewis i'r Anghydffurfiwr, John Davies. 'A chi ydi Saunders Lewis,' meddai'r hen ddiacon. 'Wyddoch chi, pan oeddech chi yn y carchar roeddwn i'n gweddïo bob dydd dros y tri ohonoch chi. Ond roedd gen i weddi arbennig i chi, Saunders Lewis. Roeddwn i'n gweddïo am i'r Arglwydd eich dwyn chi i'r goleuni, os chi sydd yn y tywyllwch, ac am iddo fy nwyn i i'r goleuni os mai fi sydd yn y tywyllwch.'

Wedi'r geiriau hynny, roeddwn i'n medru gweld rhywbeth tebyg i ddeigryn ar ruddiau Saunders.'

Fel y gŵyr y genedl bellach llosgwyd adeiladau'r 'ysgol fomio' gan y tri gyda chymorth eraill. Holais a oedd amheuon ym meddwl y gweinidog a'r heddychwr cyn gweithredu.

'Dim o gwbl, yn bersonol. Codwyd yr adeiladau i ddibenion rhyfel a dinistr a hynny yn erbyn ewyllys cenedl gyfan. Gweithred symbolaidd oedd y llosgi. Roedd ein sgowtiaid wedi gwneud ymchwil manwl i sicrhau na fyddai'r un gweithiwr yno. Rwy'n credu serch hynny i D.J. betruso.

'Y peth mawr gan Saunders a finnau oedd bod hwn wedi tyfu yn achos rhwng cenedl a gwladwriaeth. Yn sicr mi roddodd y weithred ysgytiad ofnadwy i'r Llywodraeth a chynyddu'r parch at Gymru. Rwy'n meddwl ei bod yn deg dweud, heb unrhyw ymffrost, y gellir sôn am ein Cymru ni fel y Gymru cyn llosgi'r Ysgol Fomio ac yna'r Gymru wedi'r weithred. Bu yna doriad, mi ddigwyddodd rhywbeth.'

Wrth sôn am ei gyfnod yn y carchar, dywedodd Lewis Valentine, 'Mi ddysgais dosturi yn y carchar. Gwelais ddynion yno am droseddau go fawr a darganfod bod yna haen go dda ynddyn nhw. Dysgais hefyd mor aneffeithiol yw cosb carchar. Achosi dirywiad mae o i'r sawl sydd yn gweinyddu'r ddeddf yn ogystal ag i'r carcharor. Na, fedra i ddim gweld sut mae gorfodi dyn i fygu pob greddf sydd ganddo, sut mae gwenwyno'i awyr o, sut mae hanner ei lwgu fo, yn mynd i wneud dinesydd drwg yn ddinesydd da.

Rwy'n credu i D.J. fwynhau'r carchar yn anghyffredin. Roedd ganddo Gymro yn bennaeth yn y llyfrgell, lle roedd yn gweithio, a hwnnw'n ddyn caredig iawn. Wrth gwrs, dyna ddawn fawr D.J. gwneud cyfeillion a medrai gymysgu gydag adar brith iawn! A dadlau, wrth gwrs – rwy'n siŵr ei fod wedi ceisio argyhoeddi pawb yn y llyfrgell fod achos y Blaid yn un cwbl resymol!

'Roedd yna rai bethau ffiaidd mewn carchar: drewdod y lle a bwyd y carchar. Ambell noson roeddech chi'n deffro a chlywed rhai o'r bechgyn yn nadu a chrio a mynd yn hanner gwallgof yn eu celloedd. Mae pobl fel Freud a hyd yn oed Pantycelyn yn sôn am lygredigaeth y natur ddynol. Roedd hyn yn ffaith weladwy yn ein cymdeithas ni. Sinc fudr ydi Llundain, yn ôl rhai carcharorion a'r rheiny yn dweud wrtha i, "Rydych chi wedi byw mewn twr ifori. Does ganddoch chi ddim syniad ... "

'Y cyfan fedra i ddweud yw bod carchar yn oddefadwy i rai sydd yno dros egwyddor.

'Bûm yn edrych drwy hen nodiadau o'r dyddiau cynnar a'r hyn sy'n fy synnu yw mor berthnasol heddiw yw'r genadwri a bregethem bryd hynny. Fy mhrofiad i yw mai'r ddadl sylfaenol sy'n ennill pobl – eu cael nhw i sylweddoli mai Cymry ydyn nhw.'

O sylwi ar fathodyn Cymdeithas yr Iaith ar ei dei, roedd cwestiwn am ieuenctid Cymru yn anochel.

'Mae gen i feddwl mawr ohonyn nhw,' meddai, 'ac rwy'n manteisio ar bob cyfle i fod yn eu cwmni. Maen nhw llawer gwell na 'nghenhedlaeth i, dydyn nhw ddim yn ofni cael eu brifo, nag yn credu mai swydd barchus yw'r peth mawr mewn bywyd. Maen nhw'n rhyfygus, maen nhw'n gableddus. Ond dyna un ffordd o gael gwenwyn taeogrwydd allan o'u cyfansoddiad. Rwy'n credu ein bod ni'n magu cenhedlaeth yng Nghymru heddiw sy'n mynd i ddwyn ein hachos cenedlaethol ni i fuddugoliaeth.'

Portread:
S.O. *Merthyr*

Y Cymro yn y chwedegau

'Y'ch chi'n gwbod ble wi'n byw ym Merthyr?' gofynnodd pan ffoniais y noson cynt i drefnu sgwrs.

'Na, does gen i 'run syniad,' atebais a phensil yn fy llaw i nodi'r cyfarwyddiadau.

'Dewch miwn i Ferthyr,' meddai, 'a'r person cynta welwch chi, gofynnwch iddo ble mae S.O. yn byw. Fe ddwedith e wrthoch chi.'

Drannoeth ufuddheais a chyfarwyddodd y person cyntaf a gwrddais fi'n ddibetrus i'w dŷ.

Tyfodd yr ymddiriedaeth rhwng S.O. a'i etholwyr dros 34 mlynedd. 'Mae'r bobol yn gwbod dros beth mae S.O. yn sefyll,' meddai – blaenoriaeth lwyr heb eithriad i Ferthyr Tydfil a thra bydda i'n teimlo'n ddigon da'n gorfforol, fe barhaf i gynrychioli'r hen le annwyl hwn.'

Er iddo fyw yn ardal Merthyr er 1918, yn Abercwmboi yng nghwm Aberdâr y ganed Samuel Owen Davies – 83 mlynedd cyn y cyfweliad yn 1970, felly. Unig waith y pentref oedd y pwll ac unig iaith y pentref oedd y Gymraeg. Pan aeth S.O. i'r ysgol yn dair a hanner oed doedd ganddo fe ddim Saesneg a doedd gan y brifathrawes ddim Cymraeg. Roedd hi'n bendant nad oedd gobaith gwareiddio plant Abercwmboi heb gael gwared ar y Gymraeg. Yn chwech oed, yn ei dosbarth hi, yr eginodd ysbryd y rebel yn S.O. Ar ôl cael ei gam-drin ganddi, eisteddodd yn ôl yn ei gadair, gwasgodd ei bapur ysgrifennu yn belen a chyhoeddi, 'Bois, dw i ddim yn mynd i neud rhagor o waith i hon.' Dilynodd holl fechgyn y dosbarth ei arweiniad a symudodd i ysgol arall.

Ar ôl i'w dad gael damwain yn y pwll, gwelodd ysbryd cymdogol y pentref ar ei orau. Cynhaliwyd raffl i godi arian i'r teulu o chwech o blant a rhoddwyd y wobr gan un o'r siopwyr. 'Dyna fel roedd hi yn Abercwmboi – pawb yn cydweithio heb unrhyw ffys i helpu'r rhai mewn angen.'

Ei brif uchelgais yn blentyn oedd mynd i lawr y pwll a gwnaeth hynny yn ddeuddeg oed ym mhwll Cwmpennar. Aeth i weithio gyda'r unig Sais a weithiai yn y pwll, Joby Whale. Pan ddaeth Twm Edmwnd o gwmpas i fesur faint o waith a wnaethant, doedd gan Twm ddim gair o Saesneg na Joby air o Gymraeg. Dechreuodd Twm ei regi, a dywedodd S.O. wrtho, ac yntau ond yn ddeuddeg oed cofier, 'Nawr, Mr Edmwnd, ry'ch chi'n gwbod yn iawn nad yw Mr Whale yn deall Cymraeg.' 'Troes Mr Edmwnd ata i,' meddai S.O., 'a dweud shwt grwt o'n i yn yr iaith mwyaf tanllyd glywes i erioed yn y ffas.'

Symudodd i Lofa Aberpennar a pherswadiodd y rheolwr S.O. i addysgu ei hunan. Pasiodd un arholiad ar ôl y llall ac yn 23 oed enillodd ei gymwysterau llawn fel peiriannydd glofaol. Astudiodd am ei matric ac ennill ysgoloriaeth i Goleg y Brifysgol Caerdydd. Ar ôl ennill ei radd dychwelodd i'w hoff waith – fel glöwr yn y Tymbl. Cafodd ei ethol yn gynrychiolydd y glowyr ac yn y diwedd yn aelod o Bwyllgor Gwaith Cenedlaethol yr Undeb.

Roedd gwleidyddiaeth yn rhan naturiol o'i fywyd bron o'r crud. Dylanwadwyd arno gan radicaliaeth ei dad a phleidleisiodd am y tro cyntaf ym Merthyr i Keir Hardie,

Aelod Seneddol cyntaf y Blaid Lafur. Yna yn 1934 etholwyd yntau yn Aelod Seneddol dros y sedd honno, gan etifeddu radicaliaeth Keir Hardie a Henry Richards, yr Apostol Heddwch. Y flwyddyn honno roedd tri chwarter gweithwyr yr etholaeth allan o waith a phobl yn gadael wrth y miloedd. Brwydrodd yn galed i gael gwaith i'r ardal a llwyddodd i berswadio'r Prif Weinidog i ddod â ffatri i Ddowlais.

Yn y Senedd dilynai ei gydwybod yn ddigymrodedd a mynd i helynt. Adeg rhyfel Korea condemniodd y llywodraeth Lafur am gefnogi America a galwodd am gael gwared ar bob sefydliad milwrol Americanaidd ar dir Prydain. Ym 1961 cafodd ei ddiarddel o'r Blaid am wrthod cefnogi ei pholisi ar y lluoedd arfog.

Yn y pumdegau daeth â mesur 'Gwell Llywodraeth i Gymru' o flaen y tŷ, mesur a fyddai'n dod â hunan lywodraeth i Gymru fesul cam. Gwrthododd fynd i'r cyfarfod lle rhoddwyd rhyddfraint Merthyr i Harold Wilson am iddo ddweud wrth bobl Aberfan am gyfrannu o Gronfa'r Drychineb at y gost o glirio'r tomenni. Crynhodd ei yrfa seneddol. 'Un peth maen nhw ddim wedi ei wneud gyda S.O. – dyn nhw ddim wedi gallu gwneud 'professional politician' ohono fe. A Duw a'n helpo i, tasen i wedi mynd i'r cyfeiriad hwnnw.'

Portread:
Huw MacDiarmid:
Sosialydd a Phrifardd

Y Cymro yn y chwedegau

'Fe'm gwaredwyd drwy groen fy nannedd rhag y dynged ddychrynllyd o gael fy ngeni'n Sais,' meddai Huw MacDiarmid, cenedlatholwr, comiwnydd ac yn ôl y beirniaid un o'r tri bardd mwyaf a gynhyrchodd yr Alban erioed, wrth esbonio iddo gael ei eni o fewn chwe milltir i'r ffin â Lloegr. Mae'r bwthyn ger Bigger yn swydd Lanark, yn dal yn ddiogel o grafangau'r ffin ddaearyddol. Ond deil ysbryd y clawdd terfyn i losgi yn ei wythiennau a barodd iddo ddweud wrth *Who's Who* mai ei hobi yw Anglophobia – casineb at Loegr.

'Roedd y dref lle magwyd fi yn lle radical iawn,' meddai. 'Roedd pawb yn siarad Scots, nid Saesneg ac yn ymwybodol iawn o'r gwahaniaeth rhwng yr Alban a Lloegr. Yn yr ysgol gorfodid ni i ddysgu Saesneg safonol – iaith nad oes yr un Sais yn ei siarad, ond a ddyfeisiwyd ar gyfer ei gwthio ar ysgolion yr Alban. Doedden ni'n dysgu dim am ein gwlad ein hunain. Dim un wers ar Gaeleg na Lowland Scots, dim sôn am hanes yr Alban a phan sonnid am wleidyddiaeth câi'r gwahaniaeth rhwng yr Alban a Lloegr ei anwybyddu'n llwyr. Canlyniad hyn oll oedd meithrin casineb greddfol at bopeth Seisnig a'r awydd i dorri i ffwrdd oddi wrthynt.'

Gwnaeth MacDiarmid a'i gyfeillion hynny trwy ysgrifennu yn Albaneg yr Iseldir 'braid Scots'. Er bod yr iaith yn ddigon tebyg i'r Saesneg, mynnai MacDiarmid ei bod yn iaith ar wahân ac yn fwy na thafodiaith. Cytunai iddo adfywio barddoniaeth yn yr iaith honno, er nad hynny oedd ei nod ond yn hytrach 'adfywio'r Gaeleg drwy'r wlad'.

'Ar ôl ailddarganfod Scots,' meddai, 'canfûm fy mod yn gallu barddoni'n llawer gwell nag mewn Saesneg am ei bod yn cyrraedd lefel ddyfnach yn yr isymwybod. Enillais enw rhyngwladol ym mhobman ond yn yr Alban. Yma, roedd pobl wedi cael eu Seisnigeiddio cymaint, yn amheus o unrhyw beth oedd yn gwahanu'r Alban oddi wrth Loegr.' Hyn a'i trodd at wleidyddiaeth. Gwelodd ef a'i gyfeillion nad oedd ganddynt obaith i ddeffro'r Alban yn llenyddol heb weithio'n wleidyddol i'r un cyfeiriad. Hyn fu tarddiad cenedlaetholdeb gwleidyddol cyfoes yr Alban.

'Gydol ein hanes buom ni'r Albanwyr yn llawer mwy radical ac yn llawer mwy rhyngwladol ein hagwedd na'r Saeson. Tra bod y Saeson yn fewnblyg ac yn imperialaidd, rhoddodd rhyng-genedlaetholdeb yr Alban fod i'r undebau llafur, i'r mudiad Llafur a'r mudiad cydweithredol. Bu sosialaeth yr Alban ar hyd y blynyddoedd yn chwyldroadol tra bod sosialaeth Lloegr – os gellir galw'r Blaid Lafur yn blaid sosialaidd – yn gyfansoddiadol a brenhinol.'

Gellir dweud am Hugh MacDiarmid nad sosialydd drama mohono. Treuliodd y rhan fwyaf o'i oes yn y math o dlodi a wnaeth sosialaeth yn angenrheidiol, ac er i'r Alban erbyn heddiw ei gydnabod fel ei bardd mwyaf ac i Brifysgol Caeredin roi Doethuriaeth anrhydeddus iddo, daliodd i fyw mewn bwthyn dwy ystafell a godwyd ar gyfer gwas ffarm.

Ymweliad â chwarel yr Oakeley

Y *Cymro* yn y chwedegau

Mae gen i lythyr a dderbyniais yn blentyn gan Reolwr y chwarel yn dweud mai 'chwarel yr Oakeley yw'r chwarel fwyaf yn y byd o dan ddaear'. Roedd y ffaith honno yn gymaint o hwb i'm balchder cenedlaethol â phe bai paffiwr o Gymro wedi ennill pencampwriaeth y byd a byth ers hynny rhoddais fy mryd ar ymweld â'r chwarel.

Mae'n bur debyg mai Geoff Charles a minnau oedd y rhai olaf o'r tu allan i ymweld â'r byd rhyfeddol hwn yng nghrombil y ddaear. Y ffordd orau i amgyffred maintioli'r chwarel yw darlunio'r mynyddoedd anferth o rwbel ar yr wyneb a sylweddoli mai dwylo dynion a'u llusgodd bob tunnell ohono o grombil y ddaear.

Aeth y tryc i lawr â ni ar hyd yr inclên sy'n dilyn goriwaered serth hollt y graig ac mae mil o droedfeddi rhwng yr wyneb a'r llawr isaf, hwnnw ond can troedfedd uwch lefel y môr. Mae pymtheg llawr, pob un yn draphlith o goridorau lle gallai'r anghyfarwydd grwydro hyd dragwyddoldeb yn chwilio am ffordd allan. Ôl llafur y cenedlaethau, a grafodd fywoliaeth o'r graig, a naddodd y coridorau hyn. Hwy a ffrwydrodd y cyfoeth allan o'r graig, lle mae heddiw neuaddau anferth yn agor yn sydyn o'n blaen, ac a gododd bontydd i gysylltu rhai ohonyn nhw â'i gilydd. Y dynion hefyd a lywiodd hynt y dŵr yn y rhaeadrau sy'n rhuo yn y gwyll rywle oddi tanom.

Y dŵr mewn gwirionedd yw anhawster mwyaf y chwarel erbyn hyn. Ar un llawr yn unig mae tri phwmp anferth yn pympio tair mil a hanner o alwyni, ddydd a nos. Aeth y gost o'u rhedeg yn rhy uchel a dyna'r prif reswm dros orfod cau'r rhan fwyaf o'r chwarel.

Yr olygfa dristaf i mi oedd y cabanau segur ar bob llawr a fu'n gartref i gymaint o ddadlau a thrafod, diwylliant a hiwmor. Erys eu stamp yn amlwg ar y dyrnaid sy yno heddiw a'r hiwmor yn fyw hyd yn oed gan y rhai sydd ar fin colli eu swyddi. 'Beth yw'r gobaith am swydd arall?' holais. 'Mae 'na sôn,' medd un, 'bod isio rhywun i ddal tyrchod daear yn Sir Fôn.'

Mae un peth yn sicr, erys cyfraniad chwarel yr Oakeley i ddiwylliant ein cenedl ymhell ar ôl i'r dŵr feddiannu'r cabanau tanddaearol.

Adfer Chorca Dhuibne
neu Benrhyn Dingle

Y *Cymro* yn y chwedegau

Mae'r cloc ar y wal yn nhŷ Donal O'Cathain yn destun tipyn o hwyl. Nid am ei fod yn debycach i gloc capel na chloc tafarn, ond am fod ei fysedd yn troi fel fflamia – tuag yn ôl. Dyna faint o barch a roddir i amser yn Baile an Fheirtéaraigh. Yn y pentref hwn, a gafodd lonydd go dda gan yr ugeinfed ganrif, yr aeth ffrind i fi i drafferth wrth geisio ffonio. Roedd y cyfarwyddiadau, diolch byth, yn uniaith Wyddeleg, ac o ganlyniad felly mi gododd y corn cyn troi'r handlen, yn lle troi yn gyntaf a chodi wedyn.

'Lle rydach chi?' meddai llais o'r gyfnewidfa.

'Yn y ciosg y tu allan.'

Dyna pryd y sylweddolodd mai'r gyfnewidfa oedd hen ŵr yn ffenest y llythyrdy gerllaw, yn gwthio gwifrau i dyllau.

Tynnu'r ardal i'r ugeinfed ganrif yw gwaith cymdeithas Chorca Dhuibne: tynnu'n bwyllog a gofalus rhag torri'r llinyn sy'n ei chlymu wrth ei gorffennol cyfoethog, gan sicrhau mai Gwyddelod Gwyddelig, lleol ac nid estroniaid sy'n cael budd o bob datblygiad. Pan gofir am y cenedlaethau o ddiboblogi ac anobaith yn y gornel hon o Iwerddon Wyddelig mae'r newid ers creu'r gymdeithas hon yn dipyn o wyrth. Yr arwydd mwyaf gweladwy yw'r erwau o gorstir a drowyd 'yn weirglodd ffrwythlon ir'.

Mae'r hen eglwysi a cherrig a phreswylfeydd yn ei wneud yn fan cyfarfod i baganiaid, Seintiau Celtaidd a Christnogion cynnar, gan roi rhyw rin gyntefig i gyfoeth diwylliannol, un o'r ychydig gilfachau yn Iwerddon lle mae'r iaith genedlaethol yn fyw ac yn iach. Mae'r fro a'i thraethau gwynion yn eich atgoffa o Lŷn a Phenfro a mynydd Brandon, sydd bob amser yn gwisgo'i gap gwlân, yn gaer symbolaidd rhyngoch â'r byd mawr. Bu'r ymfudo o'r fro i Ddulyn, Llundain ac America yn hir ac yn greulon. Roedd 38,400 yn byw yn y penrhyn ym 1841. Heddiw mae 9,000. Y gymdeithas gydweithredol yw'r ymgais gyntaf i atal y llif. Sylweddolwyd nad oedd budd cael miloedd i ddysgu'r Wyddeleg drwy'r wlad, tra bod yr ychydig gilfachau lle câi ei siarad yn naturiol, yn marw oherwydd diffyg pobl.

Aed ati i wella'r tir a chael grantiau gan y llywodraeth i dalu am gost y peiriannau i weithio'r tir, ond bu ceisio sefydlu diwydiant newydd, mewn ardal heb unrhyw draddodiad diwydiannol, yn ormod o her. Menter lwyddiannus arall sy'n gweddu i'r amgylchfyd yw'r ddwy erw o dai gwydr, lle tyfwyd 120 tunnell o domatos y llynedd. Cyflogir 15 yn yr haf ac wyth yn y gaeaf. Tyfir llysiau yn yr awyr agored hefyd ar lecyn 25 erw, nid nepell o'r pentref a bwriedir manteisio hefyd ar adnoddau'r môr.

Sicrhau dyfodol i ardal arbennig ei hiaith a'i thraddodiadau yw'r nod. Bu'r ganolfan gymdeithasol yn Baile an Fheirtéaraigh yn gyfrwng i fywiogi y dramâu, y canu a'r dawnsio Gwyddelig, yn ogystal â'r chwaraeon Gwyddelig. Mae bri ar Siamsa lleol – sioe o ddawns, meim a chân yn portreadu'r bywyd traddodiadol. Mae plant yn amlwg yn y sioe, yn llawn asbri wrth feistroli cyfoeth hynafol y wlad.

Wrth edrych ar bethau'n oeraidd, mae'n anodd gweld llawer o obaith i'r Wyddeleg. Mae'r ffaith bod ei dyfodol cenedlaethol yn dibynnu mor helaeth ar fywyd pentref gorllewinol o faint Mynytho neu Fynachlog-ddu yn ddarlun o'i hargyfwng. Ei gobaith yw y daw'r byd, hwyrach, yn lle mwy gwaraidd, lle rhoir mwy o werth ar wreiddiau ac ar y diwylliant Celtaidd. Er mai tasg gyntaf y gymdeithas yw sefydlu gwaith a gwasanaethau er mwyn gwneud Chorca Dhuibne yn debycach i weddill y byd, hwyrach y daw'r byd hefyd fymryn yn debycach i Chorca Dhuibne.

Pleserau beicio – ar feic heb frêcs yn Ballyferriter

Y Cymro 14 Ionawr, 1998

"Dan ni wedi prynu presant i ti, Dad. Cha i ddim deud beth ydi o. Ond dim beic!'

Dyna sut y clywais, ar drothwy un o'r penblwyddi hynny sy'n gwneud i chi feddwl am ffyrdd i ymestyn gweddill y daith, bod gen i ffrind newydd ar fin cyrraedd. Emmelle Cheetah oedd o, un glas, melyn a gwyrdd efo 18 gêr yn cael eu rheoli gan ddau lifar digon dieithr i un oedd heb reidio beic ers dyddiau ysgol. Rhwng cyflwr y reidar a pharodrwydd y Cheetah i bwdu a thaflu'i tsiaen ar yr esgus lleia, mi fyddai Emmelle Crwban wedi bod yn well enw arno yn y misoedd cynta. Ond wrth inni ddechrau dod i ddeall ein gilydd mae'n rhaid cyfaddef i'r beic a minnau brofi ambell ddiwrnod cofiadwy.

Dydi'r temtasiynau sy'n denu'n teulu ni i dreulio pob gwyliau haf mewn carafán yn Ballyferriter, swydd Kerry, ddim yn cynnwys y tywydd. Fedrwch chi ddim dirnad beth ydi Lli Awst heb ei brofi ynghyd â chorwynt dros Fôr Iwerydd, yn yr ardal hon. A does dim llawer o gysur yn y cyfarchiad blynyddol, 'Bechod na fasa chi yma'r wythnos ddiwetha, roedd hi fel y Riviera yma!'

Ar ail ddydd Mawrth ein gwyliau y llynedd, mi

Beicio gyda James ar Benrhyn Dingle

benderfynodd fy nheulu a'n cymdogion yn y cae carafán ddianc rhag y glaw i le gwlypach fyth. Mae'r Aquadome yn Tralee yn nefoedd i nofwyr. Adeilad drudfawr efo to fel un y Taj Mahal, ac oddi tano rhwydwaith fyrlymus o byllau, rhaeadrau, twneli ac afonydd. Ond er i mi gael fy magu yn Fedyddiwr mae'n gas gen i'r lle, yn rhannol am i mi feddwl 'mod i'n mynd i foddi yno, ar fy unig ymweliad. Felly, wrth i bawb arall adael yn eu ceir am Tralee, mi gychwynnodd y Cheetah a finna ar orchest athletaidd wahanol. Y bwriad oedd reidio cylch o ryw 18 milltir o amgylch Slea Head, pen draw Penrhyn Dingle, pegwn mwyaf gorllewinol, ac yn ôl rhai awduron, taith fwyaf prydferth yr ardal brydferthaf y byd.

Roedd y glaw wedi peidio wrth imi gychwyn yn dalog yn llewys fy nghrys. Ond tu ôl i'r sêt roeddwn i wedi clymu cêp beic a brynwyd ar gyfer antur fel hon, un felen lachar gyda sicrwydd gan y gwneuthurwyr nad âi'r un diferyn o ddŵr drwyddi ac y byddai gyrrwr yn eich gweld filltiroedd i ffwrdd. Roeddwn i ar gyrion Ballyferriter pan laniodd y diferyn cynta yn glep ar fy nhalcen. Roedd y broffwydoliaeth radio 'Heavy rain in the South West' yn llygad ei lle. Erbyn i mi gyrraedd y pentre roedd y twristiaid a'r brodorion yn sgrialu'n fodlon i loches y pedair tafarn. Dim ond meddwl am ddirmyg pobl yr Aquadome a'm cadwodd innau rhag y demtasiwn.

Dyma ddadbacio'r fantell law, a sylweddoli'n syth y dylswn fod wedi ymarfer ei gwisgo dan amodau mwy ffafriol. Doedd yr hwd, na'r cortyn i'w ddynnu dan fy ngên, ddim yn broblem. Ond roedd y gweddill mor ddieithr â gwisg wen yr Orsedd – rhyw fath o byramid efo gwaelod trionglog yn cael ei angori gan fy mhen ôl ar y sêt a'm dau fawd ar gyrn y llyw. Pe bai hi'n ddu, yn hytrach na'r lliw caneri, byddwn wedi cael fy nghamgymryd am leian feichiog. Wrth i'r gwynt gryfhau roedd y fantell yn bygwth gweithredu fel hwyl, neu hyd yn oed barasiwt. Pan godais ar fy nhraed i ddringo un o'r mynych riwiau, mi chwifiodd fy nghynffon i ganol y ffordd gul fel yr oedd lori Tayto Irish Crisps yn gwibio i 'nghyfarfod. Bu ond y dim i mi fachu wrth ei drych a chael lifft adre mewn steil.

Roeddwn i erbyn hyn yn yr ardal ble ffilmiwyd *Ryan's Daughter*, ffilm a gofir yn bennaf am y golygfeydd hyfryd. Doedd dim llawer o ramant na golygfa i'w fwynhau heddiw, wrth i niwl ymuno yng nghynllwyn y glaw a'r gwynt. Roedd y gwastadedd melyn rhyngof fi a llyw'r beic yn troi'n gronfa ddŵr, a hwrdd o wynt bob hyn a hyn yn ei wagio gan luchio'r cynnwys i 'ngwyneb. Rhwng hynny a'r glaw oedd wedi canfod twll rhwng y cêp a 'ngwegil mi faswn wedi bod yn sychach yn yr Aquadome. Ar y goriwaered ger Dun Chaoin fe drodd yr anhwylustod yn fraw. Wrth wibio at dro go filain gwasgais y ddau frêc mor galed ag y medrwn, ond heb unrhyw effaith. Cofiais gyngor gan y doctor beics, Wil Sam, fis ynghynt, eu bod nhw 'angan mymryn o ajyst'. Doedd dim amdani ond plannu fy sodlau ar y llawr a drybowndian rownd y tro fel clown ar stilts gan weddïo nad oedd llwyth arall o greision yr ochr draw. Am y filltir neu ddwy nesaf roeddwn i'n gwasgu'r breciau hyd yn oed wrth ddringo, gan gofio'r hen wers wyddoniaeth: ffrithiant + gwres + sychdwr = mwy o ffrithiant. Roedd hynny'n dechrau gweithio ac mi ddywedais air o ddiolch wrth ddelw o'r Forwyn Fair.

Ond roedd yna fwgan arall o'm blaen, rhyd garegog ar draws nant oedd heddiw'n llif. Y dewis oedd cerdded drwyddi a chario'r beic, neu reidio a chadw 'nhraed yn gymharol sych. Dewisais yr ail lwybr, a dweud amen wrth y brêcs. Gyda'r niwl yn dwysáu a'r ffordd os rhywbeth yn culhau, roedd y ddrama'n troi'n greisus. Ro'n i'n straffaglu ar y beic i fyny'r rhiwiau, ond yn cerdded i lawr y mannau lle byddai pawb call yn mwynhau ffri-whîl. Ac os oedd y fantell yn gwneud imi deimlo yn dipyn o glown wrth reidio, roedd pethau'n waeth byth wrth gerdded efo'r ffedog felen yn ymestyn at fy nhraed.

Erbyn cyrraedd Ventry roeddwn i'n teimlo 'mod i'n haeddu gwobr. Parciais y beic, diosg fy mantell, troi i mewn i dafarn Paudie O'Shea a gofyn am goffi Gwyddelig at fy annwyd. 'Weli di pwy sy draw fan'cw?' meddai Austin, bwci o Ddulyn sydd bob amser yn yr ardal yr un adeg â ni. Sychais y dŵr o'm llygaid, a gweld dyn brith, egnïol ym mhen arall y stafell yn wên o glust i glust. Hawdd y gallai fod, gan fod haid o ferched ifanc yn ciwio i gael eu cofleidio ganddo, a'u ffrindiau yn tynnu llun, pob un yn eu tro, yn ei freichiau. Ond cadwai un llaw yn rhydd i ddal peint o Guinness. Dydi hi ddim byd dieithr gweld y cyn-Brif Weinidog, Charlie Haughey yn yr ardal, gan mai fo yw perchennog un o ynysoedd y Blaskets.

Ond eleni, roedd o dan gwmwl oherwydd i'w fisdimanars ariannol gael eu datgelu i'r byd gan dribiwnlys

McCraken. Roedd casgliadau'r tribiwnlys, a allai ei arwain i garchar, i fod gael eu cyhoeddi o fewn dyddiau. Am y tro cynta yn ei fywyd, yn ôl y papurau, roedd ganddo gywilydd dangos ei wyneb yn gyhoeddus. Ond yma, ar bnawn Mawrth niwlog yn Kerry, roedd o yn ei nefoedd, heb yr un gofal yn y byd.

Dechreuais gofio, am y tro cynta ers dwy awr, pam fod pobl yn dod yma ar eu gwyliau. Diolch i'r coffi neu Charlie neu'r ddau, roeddwn innau'n gwenu, ac yn gwenu ar hyd gweddill y daith. Doedd y diffyg brêcs ddim hanner cymaint o broblem. Fel roeddwn i'n cyrraedd y cae carafán ymddangosodd mymryn o las yn yr awyr. Trois y beic â'i ben i waered a chwilio am sbaner o'r garafán i roi mymryn o 'ajyst i'r brêcs'.

Ar hynny daeth y criw yn ôl o'r Aquadome, wedi cael diwrnod wrth eu bodd.

'Pam na fasat ti wedi dod efo ni, Dad?'

'Dw i ddim yn licio dŵr.'

Cyfrolau Ioan

Elfed Lewys – *Cawr ar Goesau Byr* – Lolfa: 2000
Achos y Bomiau Bach – Carreg Gwalch: 2001
Dwi'n deud dim. Deud ydw i ... Stuart Jones – Gwasg Gwynedd: 2001
Rhyfel Ni: Profiadau Cymreig o Ddwy Ochr Rhyfel y Falklands/Malvinas – Carreg Gwalch: 2003
Cymru Geoff Charles – Lolfa: 2004
Cefn Gwlad Geoff Charles – Lolfa: 2006
Eisteddfodau Geoff Charles – Lolfa: 2007
Tân yn Fy Nghalon, Hywel Heulyn – Gomer: 2007
Pobl Drws Nesa, Taith fusneslyd drwy Iwerddon – Carreg Gwalch: 2007
Bro a Bywyd Wil Sam – Barddas: 2009
Straeon Gwil Plas – Carreg Gwalch: 2011
Stori Tîm o Walis (C'mon Midfield) – Carreg Gwalch: 2013
Philip Jones Griffiths: Ei Fywyd a'i Luniau – Lolfa: 2018
Geoff Charles: Wales and the Borders – Lolfa: 2019
Hanes y Cylch Catholig – Lolfa: 2020

Lluniodd bedwar llyfryn yn Gymraeg ac yn Saesneg i dwristiaid i Wasg Carreg Gwalch.

Golygodd:
dwy gyfrol i Wil Sam – Gwasg Gwynedd
tair cyfrol Beti a'i Phobl – Carreg Gwalch
pedair cyfrol Dafydd Wigley – Gwasg Gwynedd
Cyfres Cymêrs: Cymeriadau Llŷn – Gwasg Gwynedd
Hen Ysgol Hogia Llŷn – Ysgol Uwchradd Botwnnog